リベラリズムはどこへ行ったか

米中対立から安保・歴史問題まで

纐纈 厚

緑風出版

まえがき――「絶対非戦」と「絶対平等」を求めて

いま、いわゆるリベラリズムも、保守主義も揺れている。一時期、保守主義とは何か、と言った議論が盛んに行われたことがあった。現在は、リベラリズムとは何か、を問う頻度が高くなってきたように思われる。それは本来のリベラリズムとは一体何を示す用語なのか、が不透明となってきたからだ。日本が大きく右旋回しそうなこの時に、中央または左に向けて方向を修正し、あるべき位置に戻すことが益々難しくなっている。

リベラリズムの定義は確かに多様だ。私は「反戦・反ファシズム・反帝国主義（＝反覇権）」の〝三反《さんぱん》〟と、「自由・自治・自立」の〝三自《さんじ》〟とを合体させた「三反三自」に求めたいと思う。これは政治概念というより、運動の目標と言えるかも知れない。「自由・自治・自立」の原理は、「動員・統制・管理」のファシズムの原理への対抗概念として位置づけている。この「動員・統制・管理」の原理こそ、戦争・ファシズム・帝国主義そのものの原理でもあるからだ。

以下、本書で綴るテーマに通底するものとして、テーマ毎に「自由・自治・自立」の原理が削がれていく実態の実証と分析を試みたものである。言い換えれば、現在の日本では「動員・統制・管理」の原理が強化される一方であるといえる。従って、私たちに問われているのは、それから如何にして自由を取り戻し、自治の精神に立ち返り、自立した市民社会を再構築していくかにある。「動員・統制・管理」の原理が結果するものこそ、戦争・抑圧・差別・貧困であることを強く意識するならば、「自由・自治・自立」が充分に担保された考え方がリベラリズムと定義しておきたい。

そのリベラリズムが劣化している。それが、「リベラリズムはどこへいったか」の本書のタイトルに繋がっている。リベラリズムの劣化は、自動的に「動員・統制・管理」の原理が浮上することになる。そこでは、国家権力が不当に人権を棄損し、強権発動の結果として、本来あるべき市民社会の在り様が根底から崩されていく。そこでは知るべき情報の隠蔽・捏造が罷《まか》り通り、市民の怒りが分散され、歪《いびつ》な選挙制度も手伝って民意が国政に反映されない政治構造が定着している。これだけ市民社会が棄損され、数多の人々が途方もない生活苦に呻吟しながら、それが一向に顧《かえり》みられず、国内の南北問題（貧困格差）は深刻化するばかりである。

さて、二〇二一年一〇月三一日に行われた総選挙は、政治の世界とは言いながら、どう見てもリベラリズムを標榜する野党勢力の分が悪かった。選挙結果だけを指標にして、リベラリズムの現状を判定するのは少々無理があるかも知れない。だが、私にはリベラリズムが確実に後退していると感じた。一体、リベラリズムはどこに行ってしまったのか。消滅してはいないと思いたいが、どうも行方不明の有様に近い。

何故に保守主義や右傾化が濃厚となり、リベラリズムが希薄となりつつあるのか。これまで培《つちか》ってきた思想や運動が上手く社会とコミットせず、空回りは言い過ぎだとすれば、嚙み合わせが悪くなっているのだろう。ならば嚙み合わせを力づくで矯正すれば良いのかと問えば、コロナ禍に伴う貧困の一層の拡大、労働条件の劣悪化、女性の非人権的状況などを中心に不平等社会がさらけ出されてきた日本にあって、事はそう簡単にいきそうにない。それでも敢えてリベラリズムとは何かと問えば、保守主義やファシズムなどの右派との比較において、多様性を重んじ、特定の思考方法に捕らわれず、自由な発想と言語空間を確保することと言っておこう。

もう一度、今回の選挙結果を含めての感想を一言で言えば、不透明な世界が益々もって拡がっているのではないか、という不安だ。コンピューターの時代だから羅針盤は不要だが、やはり「羅針盤無き世界」とでも言いたい誘惑に駆られる。別の言い方をすれば、現在は希望もなければ絶望もない時代の到来か。でも展望だけは持っていたい。その展望を語るうえでは、次々と眼の前で展開される数多の課題に、取り敢えずは可能な限り合意可能な論点を共有することではないか。

随分と長い間、同様の議論や運動を重ねてきたように思う。今回、野党共闘の評価を巡り多様な見解が錯綜するなかで、なかなか議論が一定の方向に収斂されない原因は、少なくともリベラリスト、デモクラットの間に最低限共有可能な解答を見出し得ていないからだ。それがまた野党共闘が不完全燃焼に終わった遠因であることも確かであろう。

敢えて言えば、リベラル（＝左派）とカテゴライズされる陣営のなかに、互いに認め難いと思われる評価の調整がいまほど求められている時代は無い、ということである。あくまで最低限の合意をめざして同調ではなく、調整と確認とが必要に思われる。調整の作業の必要性は、選挙直前になって合意された野党と「安保法制の廃止と立憲主義の回復を求める市民連合」（以下、市民連合）との協定の締結によって示された。それ自体、極めて画期的な作業だった。内容的にも斬新と言える。恐らく後年、戦後憲政史の一つの画期だと評されることだろう。

だが、それでもこの協定に盛り込まれた諸政策が、数多の有権者には浸透しなかったことも認めざるを得ない。そして、野党共闘が不完全燃焼に終わったとすれば、その原因は何処にあるのか。浸透する時間がなかったのか、そもそも協定の内容の問題なのか。それとも野党各党のスタンスの相違が可視化されてしまうようなパフォーマンスが、有権者に忌避感を与えてしまった結果なのか。加えて、復古主義的な反共思想を隠さず、日本共産党との共闘に後ろ向きを崩さなかった労働組合中央組織の連合の動きのためか。政党活動・労働運動・市民運動が一体となり、相互補完的な関係を築いてこそ本物の共闘が成立するはずが、政党と市民の二本柱で野党共闘が事実上進められた感じが強い。その辺は、今後大いに議論が深められるだろう。

安倍晋三政権時代、と言ってもごく最近のことだが、いわゆる「忖度政治」なる言葉が流行《はや》った。同調圧力が上からの様々な手法を凝らした同意形成と言うならば、忖度政治とは、いわば自ら相手方の意図を察知して動いてみせること。メディアの世界で言えば、検閲が抑圧や監視の別表現だとすれば、忖度は自己検閲に相当する。つまり、相手から言われる前に、自ら進み出て検閲を行うことだ。

政治の世界で言えば、どうも与野党違わず、口角泡を飛ばすが如《ごと》きの議論をどこか消え失せ、妙に相手の発言を飲み込んで合点する雰囲気が漂っているようだ。そこにはコロナ禍も原因の一つとなっているかも知れないが。これは政界に限ってことではない。財界や労働界、学界でも見受けられるような時代となっている。

真剣な議論のぶつかり合いが失せているようだ。良い意味での緊張感が生まれず、その間隙を縫うようにして権力の様々な不始末が続発する。〝モリ・カケ・サクラ〟を筆頭に、忖度政治・忖度文化の定着が生み出した構造的不正や日本の文化的不正とでも言いたいような事態が次々と起きている。

かつて日本に同じような政治があった。「大御心《おおみこころ》を体《てい》して」動くことだ。天皇の「お気持ち」を「大御心」と言った。それは天皇の意図を察して動くことだ。満州事変の謀略も、結局は天皇の意向を汲《く》んで起こしたとする解釈がある。私も満州事変も、忖度政治の成れの果てだと思っている。そうした政治環境では、あるべきリベラリズムだけでなく、健全な保守主義も劣化していくばかりだ。

そんな思いを漠然と抱くなかで、私自身がリベラリストだと自信を持っている訳ではないが、今一度、現代の政治環境を憂える一人として、本書では、「第一講　外交・防衛問題」、「第二講　安保問題」、「第三講　歴史問題」、そして以上を踏まえて、「最終講　総括」に区分して、少しばかりの読み解きと、リベラリストとしての対応策を提言している。

外交・防衛問題、安保問題、歴史問題は、言わば三位一体《さんみいったい》の問題としてある。言うまでもなく戦後日本の外交・防衛の基本原理として、日米安保条約による規定性が明白であり、日本国憲法を凌駕する安保法体系の枠組みでしか、日本の外交・防衛政策の展開は許されなかった。その忠実な担い手として保守権力が永続化を担保されてきた。そうした歪《いびつ》な構造への肯定感と嫌悪感が混在しながら、それでも数多の日本人にそのことを受容させてきた歴史認識があった。すなわち、日本のかつての近代化と、その過程で引き起こされた戦争の歴史を日本の発展過程における一つの現象として捉えることで、加害意識から解放されようとする歴史認識である。勿論、この歴史認識は、尹健次のいう「孤絶の歴史認識」であり、到底アジア近隣諸国民には理解できないものである。

しかし、戦後の日本及び日本人は、安保という足枷によって自立した外交・防衛政策の紡《つむ》ぎ出しに不成功のままであり、そのトラウマから脱出するためには、たとえ「孤絶の歴史認識」と言われようが、日本ナショナリズムとも言い得る独自の歴史認識を標榜・主張することが必要だったのである。従って、戦後日本に覆い被さった「孤絶の歴史認識」を清算し、自立した外交・防衛政策を紡ぎ出すためには、日米安保の規定性から解放されることが不可欠なる。

本書は、こうした問題意識から纏められたものであり、この三位一体の関係にある三つの課題を紐解くためのキーワードとして「リベラリズム」の現状を念頭に据えている。私たちは、自立した外交・防衛の展開、従属国家からの脱皮、普遍的で公正な歴史認識の獲得を実現していく主体として、実践的に動くために、権力や偏見から自由《リベラル》であることが大前提となる。

現在の日本を覆う重苦しい基調低音を払拭するためにこそ、劣化し始めたリベラリズムの蘇生が必要である。リベラリズムの蘇生のために不可欠な三つの課題の分析と批判を通して、リベラリストとして共有可能な現状認識をどこに見出すべきか考えてみたい。その意味で、本書は貧困・差別を如何に解消していくのか、と言う日常的な課題を直接には対象とするものではない。

いま私たちが直面している日々の生活を歪にしている実態と、本書で扱う課題とは、少し〝遠い〟と観念されるかも知れない。しかし、これらの実態と課題は、表裏一体の関係にあるはずだ。なぜなら、「絶対非戦」(=反戦平和)の思いは、「絶対平等」(=反貧困・反差別)の思いに繋がっていると思うからである。そして、これらに共通するものは、「非暴力」である。軍事力をも含め、「暴力」を独占する国家の力を緩和するのは、これら「絶対非戦」と「絶対平等」の理念と実践ではないか。

目次

リベラリズムはどこへ行ったか

~米中対立から安保・歴史問題まで~

【課題と提言：歴史問題】

第三講　東アジア諸国民とどう向き合っていくのか

～アジア平和共同体構築と歴史和解への途～

【課題と提言：外交防衛問題】

第一講　米中対立と台湾有事をめぐって

～中国脅威論が結果するもの～

はじめに――作為された脅威論を越えて

第一講では、近年益々激化する米中対立問題を取り上げる。それとの関連で台湾有事の問題と中国及び台湾の現状も少しだけ触れておきたい。流動的な政治軍事事情を追いかけながら整理してみる。

その前提として中国脅威論の真相に触れつつ、そこでは作為された脅威論の振りまきに着目する。その政治的意図が何処にあり、それが私たちの諸活動に如何なる影響を与えているかを中心に論じている。勿論、ここで私は実態としての中国脅威論を全否定している訳ではない。実際には脅威と言うより影響と言ったほうが妥当だが。

同時にアメリカや日本の政治・軍事行動が中国や北朝鮮などにとっても脅威だと捉えている。つまり、脅威とは一方的に派生するものではなく、双方向的に派生するものだ。私たちが中国の脅威と言う場合、中国側にもアメリカや日本は脅威の対象国となる。相互に脅威を振りまき合う意味は、一体何かについて冷静に考えることが求められているのではないか。

また、日本の政治外交の大筋を追う場合、アメリカの軍事戦略がどう動いているのかを知ることが必要だ。その情報源はアメリカ国防総省（ペンタゴン）や国務省のホームページ、それに様々な軍事関係出版物、それを受けて懸命に分析を進めている日本の軍事ジャーナリストの論稿など、実は豊富に存在する。つまり、議論を深めるうえでの材料には事欠かない。問題はこれらを参考としつつ、取り敢えずは日本を含めた東アジア地域及び地域内諸国家の安全保障問題を考えるうえで、どのように解釈していくかだ。

それは当該地に安全保障問題や平和構築を議論し合う場合には不可欠な作業となる。ここでは極めて攻勢的な軍事戦略を採用するアメリカが、取り分け同盟国日本を戦略実行の鍵と見なし、これまで以上に日本の加担を強いる作戦発動を念頭に据えていることを指摘していく。同時に二〇二二年の今年中には、岸田政権の下で「国家安全保障戦略」、「防衛計画の大綱」、「中期防衛力整備計画」の三文書が改定される予定である。

そこでは、軍事色を一段と強めた日本の安全保障政策が、文字通り軍事に突出した内容に塗り替えられようとしている。私たちが望む方向とは、真逆の選択が強行されようとしているのだ。それは恐らく参院選の結果によっても、その濃淡が決められていく可能性があるものの、アメリカは日本の政治プロセス如何に関係なく日本の軍事負担を強いている現実からして、アメリカとの関係の見直しなくして脱軍事への舵切りは困難となるばかりである。

その意味で今年は、大きな曲がり角に差し掛かった年となることが予測される。換言すれば、独立国家であるはずの日本が、こと外交防衛の領域においては、真の独立を確保していないのではないか、という実態をあらためて問題にしたいのである。本書のテーマに即して言えば、アメリカからは自由ではなく動員の、自治ではなく統制の、自立ではなく管理の状態に置かれているのではないか、と言うことである。

いま、日本政治には地方自治体をも含め、アメリカに従属することによって担保される「平和」を求める傾向が益々強くなっている。それは勢い「自由・自立・自治」の原理を希薄にさせ、「動員・管理・統制」の原理を受容していく。まさに劣化するリベラリズムである。その政治的反映が、世論の保守化と右傾化である。

そうした問題意識を念頭に据えながら、本講では二〇二二年二月末までの動きを追いながら述べていきたい。なお、本講は最近の一年間各地で行ってきた講演用に作成した何種類かのレジュメをベースとして書き下ろしたものである。その場で行ったQ＆Aの内容をも念頭に書き込んだので、ウイングを少々広げ過ぎていることをお許し願いたい。

1　「中国脅威論」の真相を探る

〝反中同盟〟の成立か

日本国内で強まる一方の中国脅威論。その効果は絶大である。自衛隊の装備強化を担保する防衛費総額への反対論を封印する勢いだ。自民党内では、最近になって防衛費を国内総生産（ＧＤＰ）の二％に引きあげるべきだ、とする声が強まりつつある。

その声の発信元はワシントンだ。例えば、前駐日アメリカ大使で、現在米議会上院のウィリアム・ハガティ議員（共和党）は、日本の新聞社の取材に、「米国はＧＤＰ比三・五％以上を国防費にあて、日本や欧州に米軍を駐留させている。同盟国が防衛予算のＧＤＰ二％増額さえ困難だとすれば、子どもたちの世代に説明がつかない」と不満を表明したとのことである（『朝日新聞』二〇二一年一一月二八日付）。

対中国強硬派の一人として知られるハガティ議員は、最近の中国の動向を「悪意に満ちた態度」とも批判する。留まるところを知らない辛辣な姿勢は、日本の自民党議員にも伝播している。例えば、佐藤正久参議院議員は、林芳正外相が中国から招聘の電話があったと某テレビ番組で明かしただけで、中国に擦《す》り寄る態度だと批判した。恐らく、温度差はあれ、自民党はじめとする保守系議員の多くが、同様の受け止めをしているようだ。また、立憲民主党など野党においても、中国への厳しい眼差しが目立つ。

そうした雰囲気からして、自公政権や議席増の維新も含め、防衛費増額への議論が活発となることは必至のようだ。二〇二一年度の防衛費は五兆三四二二億円、二〇二二年は五兆四〇〇五億円と膨らむ一方である。実は防衛費の計上は、それだけではない。これに補正予算の七七三八億円が加算されるから、事実上は六兆一七四三億円とカウントするのが正確であろう。それで、GDP比二%となれば一一兆円を軽く超す計算だ。

一方、アメリカも中国を意識してか、軍事費増額の動きが止まらない。二〇二一年一二月一五日に国防権限法がアメリカ連邦議会で通過し、二〇二二年会計年度（二〇二一年一〇月〜二〇二二年九月）のアメリカの国防予算は七七七七億ドル（約八八兆円）に達するとされた（『朝日新聞』二〇二一年一二月一七日付）。

アメリカはこの他にも中国を念頭に据えた「太平洋抑止イニシアチブ」（PDI = Pacific Deterrence Initiative）だけで七一億ドルの予算を計上した。これはロシア対策予算である「欧州抑止イニシアチブ」（EDI = Europe Deterrence Initiative）の予算の四〇億ドルの二倍近い。この措置は、アメリカがロシア封じ込め以上に、中国封じ込め戦略に注力している証拠と言える。

因みに、PDIは二〇二〇年にアメリカ連邦議会において国防権限法に従い決定されたもので、ここにきて対中国包囲戦略が急であることを示している。国防予算の高騰ぶりの背景には、近年における中国軍事力の増強があることは明らかだ。同時にロキード・マーチンを筆頭とするアメリカの軍需産業界から、軍需産業の存続をかけての増額要求の動きも否定できない。

他方で中国国務院が発表した二〇二二年の中国の国防予算は、一兆三五五三億元（日本円で約二二兆六〇〇〇億円）である。日本の防衛予算が現行の二倍相当の一〇兆円以上となると、第二位の中国に次いで世界第三位の軍事費大国となる。一体、その巨額の防衛費で自衛隊はどうするのか、自衛隊は何を目ざすことになるのか。増額を主張する勢力からの説得的な説明はない。ただ、着実に防衛費増額の流れが創られようとしている。

防衛費の拡大を目論む政治家たち、これを支持する人たちは、防衛費拡大の理由に中国の軍事大国化の脅威を挙げる。所謂タカ派と目される自民党議員団だけでなく、世論にもメディアにも、さらには青少年たちの心情にも、今この中国脅威論が浸透している。

第一野党である立憲民主党も、外交防衛政策の基軸として、日米同盟の堅持による中国脅威への備えを説く。いまや保守主義者もリベラリストも関係なく、拍子を合わせたように中国脅威論を唱える。これは一見奇妙なことだ。いまでは与野党を違《たが》わず、中国には脅威を前提として外交防衛政策が論じられる。その前提を軽視ないし無視すると、一体国民の安全や国家の防衛を何と考えているのか、と手厳しい声が飛ぶ。与野党相乗りの反中・嫌中の大合唱が止まない状況だ。まさに、〝反中同盟〟成立の有様である。

二〇二一年一〇月の総選挙で自公政権が過半数を確保した。さらに、もう一つの保守政党とも言うべき日本維新の会が議席を多く伸ばした。元来タカ派の国防論を説いてきた勢力が、「野党」第二党の位置についたこともあって、憲法改正（改憲）への動きが加速される勢いだ。そこでも中国脅威論と改憲とが、ワンセットとなって俎上に挙げられることになろう。

以上の動きを踏まえて、先ず、中国は本当に脅威なのかを問うてみたい。

メディア報道の偏《かたよ》り

勿論、全てのメディアがというつもりはないが、大方のメディアは、異様と思われるほど中国に敵対的だ。一つ一つ挙げていくのは大変だが、それを象徴する報道を取り上げてみる。それは二〇二一年六月一一日から一三日、イギリスのコーンウォールで開催された先進国サミットでの報道ぶりである。

日本の大方のメディアが、そこで事実上の「中国包囲網」を形成することで〝合意〟されたかのような報道を行った。多くの読者や視聴者は、参加国が皆一様に中国を脅威とみなし、その脅威に対抗するため一致団結することとなった、とする印象を強く抱くことになったであろう。それは恰《あたか》も日本を含め、世界の先進諸国がスクラムを組んで中国を封じ込めようとしている、と映ったのだ。

中国の近年の動きが俎上に挙げられたことは間違いない。サミットの共同声明「G7カービスベイ首脳コミュニケ――より良い回復のためのグローバルな行動に向けた我々の共通のアジェンダ」で中国問題に関わるのは以下の内容だ。すなわち、「60 我々は、包摂《ほうせつ》的で法の支配に基づく自由で開かれたインド太平洋を維持することの重要性を改めて表明する。我々は、台湾海峡の平和及び安定の重要性を強調し、両岸問題の平和的な解決を促す。我々は、東シナ海及び南シナ海の状況を引き続き深刻に懸念しており、現状を変更し、緊張を高めるいかなる一方的な試みにも強く反対する」（外務省HPより）の部分である。

それなりの確固たる姿勢を示している。だが、どこをどう読み取っても、「中国包囲網」の陣形が成立した、などと言うものではない。いわば、現状維持を求めるための声明に過ぎない。

それ以上に問題なのは、サミットでは気象変動や人権など、世界各国が取り組む課題に触れられており、中国問題が登場するのは全七〇項目のうち六〇項目という点だ。つまり、優先順位が極めて低いと言えば低いのだ。勿論、そこには中国への配慮が滲《にじ》み出ているとも受け取れるが、要は優先順位が高くないのである。それにも拘わらず、日本の報道機関は、この順位を無視して中国問題が率先して議論された、かの報道ぶりだった。端的に言えば、サミットでは中国問題より気象問題の方が圧倒的な関心対象であったのである。

このことは何を意味しているのだろうか。先ず指摘できるのは、日本のメディアや世論が、中国を万国共通の脅威とみなすステロタイプに嵌《は》まり込んでいることだ。そのステロタイプも一様ではない。その大方が中国は共産党一党支配による強権政治が強行されていて、自由も人権も無い国だとするもの。そうした固定観念に縛られてしまっているかのようである。

そうすると、自然の成り行きととして、中国との交流や対話への動機が薄れていく。自ら交流や対話への関心もなくなるだけでなく、そうした中国との対話を設定しようとする知恵も湧かなくなってしまう。まさに閉塞状況に自ら追いやっていく。日本政府の現在の姿勢も、そうした状況下にある。

二〇二一年一一月一一日、日中友好議員連盟（日中議連）会長を務めていた林芳正外務大臣が、その会長職を外務大臣就任の機会に辞すると発表した。その理由が、誤解を招くことを回避するため、と言う。一体、如何なる誤解を恐れたというのか。元来、親中国派の一人と見なされていた林外相だが、ここにきて日本政府の現在採っている対中国姿勢に歩調を合わせるため、日中議連会長を辞したこと、それ自体は理解できない訳ではない。だが、あらぬ誤解を回避するという口実に示されたような、中国との対話姿勢の後退を印象づけるような発言は頂けない。それだけ自民党内には、反中国姿勢に凝り固まってしまった議員たちが多いことの証左でもある。

日本と同様にアメリカでも、この中国問題が優先的に報道された。ここで指摘しておきたいのは、日米両国の過剰なまでの中国脅威論の振り撒きは、作為的だとしか言いようがないことだ。中国脅威論が過剰なまでに誇張されて宣伝されるなかで、中国は両岸問題（台中問題）が内政問題だとの姿勢を崩さない。日米メディアの報道ぶりに、「一つの中国」の立場を採る中国政府は、反発を強める結果となっている。

中国とすれば、一九七二年九月二九日、北京で調印された「日中共同声明」（中华人民共和国政府和日本国政府联合声明）において、日本も「一つの中国」の立場を支持し、日中国交回復したのではないか、という立場だ。何時、何をもって日本が共同声明の約束を破ったのか、との問いを発し続けている。言わば、予想外

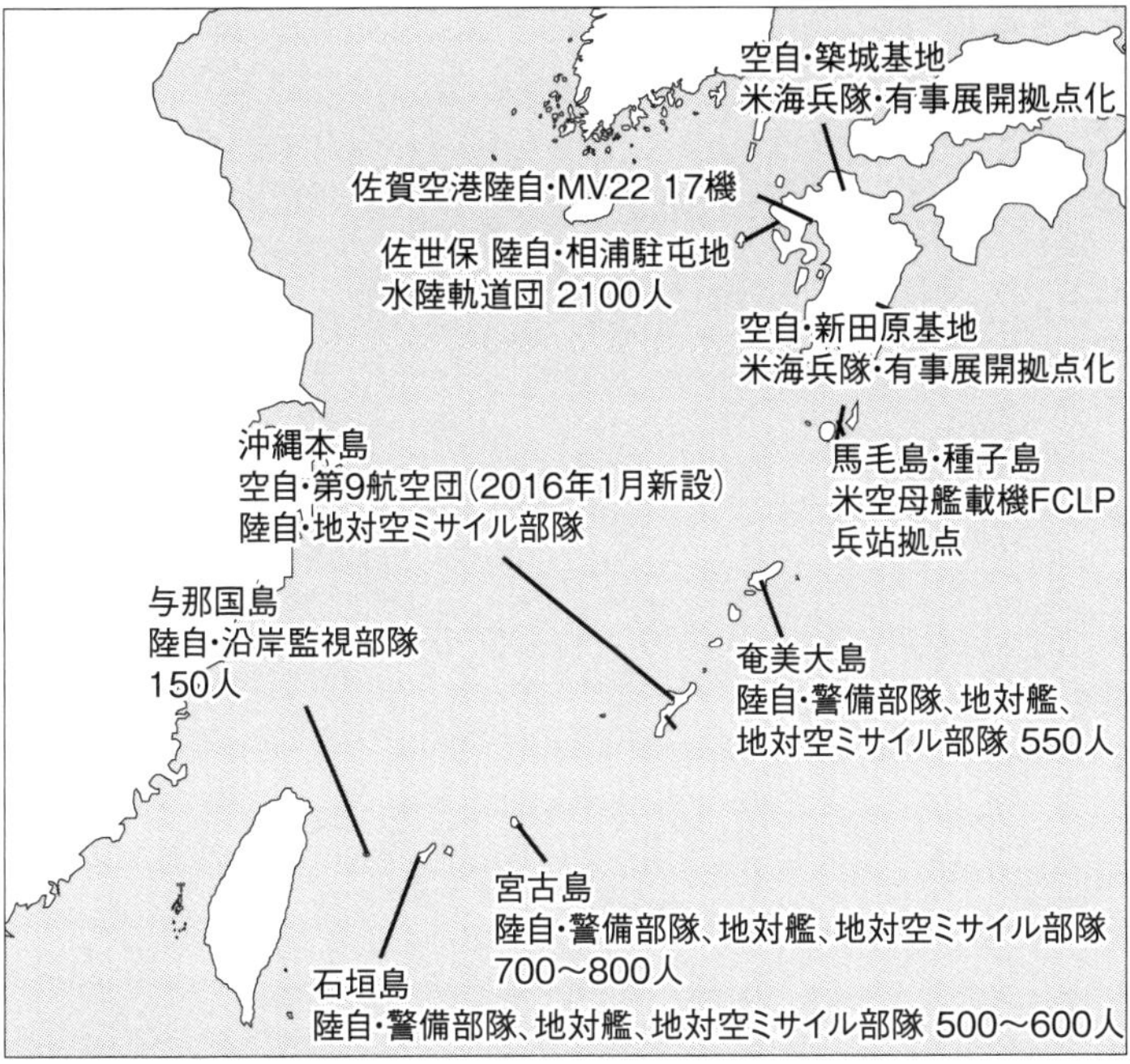

自衛隊の南西諸島配備
出所）平和フォーラムの図をもとに作成。http://www.peace-forum.com/newspaper/200501b.html

の日本の変節ぶりに、日本政府は正面から答えていない。中国の対日不信が増大する一因である。この点については後からも触れる。

連綿と続く「脅威論」

〝中国の脅威に備える〟を謳い文句に、自衛隊の南西諸島方面での展開が急だ（上図参照）。米ソ冷戦時代には、ソ連の脅威に備えることを口実に北海道への自衛隊配備が強化された。当時のメディアもソ連脅威論を声高に叫び、出版業界も〝米ソ戦わば〟なる物騒なタイトルを関した書籍が本屋の店頭に並んだ。

　日本の戦前史を辿ってみても、この手の脅威論の振り撒きは常に用意された。当時の清国を「眠れる獅子」と呼び、軍艦建造を中心に軍拡の絶好の口実とされた。それもあって日清戦争に勝利するや、今度はロシア脅威論が持ち出された。ロシアを「北方の巨熊」とし、世界一の陸軍大国と如何に戦うか、が世論をも含めホットな話題となった。

日露戦争に辛くも勝利すると、今度は第一次世界大戦中には中国の青島《チンタオ》に居座るドイツ軍を脅威とみなし、ドイツの陣地に空爆を敢行する。それを日本近代史では「日独戦争」と呼ぶ。それで脅威論が終わったのではない。第一次世界大戦が終わるや、今度はロシア革命の日本本土への波及を防止することを名目に、シベリア出兵を強行する。いわゆるシベリア干渉戦争（一九一八～一九二五年）である。

昨年の二〇二一年は、満州事変勃発九〇周年の年だった。その満州事変もソ連の脅威を事前に削ぐために、日本軍の前進拠点としての中国東北地域（満洲）を軍事占領し、対ソ戦に備えるのだ、と言うのが事変の主要な理由だった。その危機シナリオはこうだ。一九三六年頃にソ連の空軍基地がウラジオストック近郊に設営され、そこから発進する爆撃機が帝都東京を襲うと言うもの。当時のメディアをも巻き込んだ、いわゆる〝一九三六年危機説〟である。

しかし、その年に起きたことは、早期にソ連侵攻を主張する陸軍の皇道《こうどう》派青年将校たちが、一四〇〇人もの兵士を出動させて東京を四日間占拠した二・二六事件であった。この戦前期最大の陸軍クーデターを利用した、同じ陸軍の統制派はカウンター・クーデターを強行し、軍部の権力を一気に引き上げることに成功する。脅威論を焚き上げておいて、翌年の一九三七年には日中全面戦争を引き起こした。軍主導の政治と世論の排外ナショナリズムの高揚とが、戦争を拡大させたのである。

その後、脅威対象国となったのは、アメリカとイギリスであった。「鬼畜米英」のスローガンは両国を脅威とし、反米・反英こそ、日本の生きる道だと宣伝されたのである。それは大国との戦争を不安視する日本人全体の開戦ショックを緩和するうえで、絶大な心理的効果を発揮することになった。戦前まで遡《さかのぼ》れば、このように日本は常に脅威の対象を設定し、脅威除去を理由に戦争発動を重ねた。

ならば戦争に勝利したことをもって、いわゆる国防が全《まっと》うされたのだろうか。本当に中国やソ連は、日本侵略の意図なり能力なりを保有して、先に侵略してきたのだろうか。日本が大陸に侵攻し、市場と資源の収奪を目的とした戦争ではなかったのか、とする判断が現在の歴史研究の大方に共通する認識である。つまり、脅威論とは戦争を引き込むための、敢えて言うならば御都合主義的な国家判断でしかなかったのではないか、ということである。

そうした戦前の歴史を教訓としながら、現在の脅威論の真相に触れておきたい。

実は戦後の日本も戦前と同様に脅威設定を止めていない。戦後の最初の脅威対象国は中国だった。一九七二年に日中和解交渉が進められ、国交回復への道が切り開かれる。すると、今度はソ連が脅威対象国となった。一九八八年にソ連が崩壊すると、再び脅威対象国として再設定されたのが中国であった。これに新たに北朝鮮も加えられる。

現在、私たちの眼の前にある脅威は、実体としての脅威と作為された脅威とに、取り敢えず分けて観ておくべきだろう。勿論、実体としての脅威にしても、数多のミサイルや核兵器を隣国が保有しているとしても、直ちに無条件で脅威と算定することは、あまりにも作為的な脅威論となる。

新年早々（二〇二二年一月五日午前）にも北朝鮮のミサイル発射実験が実行された。公海を航行中の船舶への被害の可能性は極めて小さいと言われるが、実験とは言え穏やかでないことは間違いない。ただ、これを日本本土への攻撃準備と受け取ることは無理だ。これを脅威と算定する背景にある北朝鮮脅威論が独り歩きしている。日本政府及びメディアの多くが、この発射実験を「脅威」と算定する。

それならば、日本自衛隊が保有する装備も相手方にとって、質量は異なっても脅威となろう。問題は、相手方の武装を脅威と算定するか、しないかは一重に両国関係の実際にある。世界で一等地を抜く軍事大国アメリカの軍装備に強烈な脅威を感じる日本人は多くないはずである。だが、私は頗《すこぶ》る脅威に思っているし、そう思う日本人もまた基地周辺住民に限らず、少なくないことも確かだ。

それでここで論じたいと思うのは、作為された脅威についてだ。別の言い方をすれば政策として設定された脅威についてである。

勿論、各国政府の国防担当者や関連官庁は、「作為された脅威」とは言わない。実に様々な状況証拠を並べて大変な軍拡が進行中であり、その軍事力が日本に向かってきたら国民の生命と財産は風前の灯火の如く描いて見せる。そこにメディアや、いわゆるタカ派評論家などを動員して、その脅威に真実味を与えていく。権力による情報操作や拡散が様々な媒体を動員して拡散されていくのである。それ以外の「真実」が全くないかのような言説を振り撒く。そこには、「イエスかノウか」のどちらかの判断を迫る仕立てになっていて、それ以外の解答を紡ぎ出す余裕さえ与えない勢いが目立つ。

「脅威設定」のプロセス

そこで私の言う作為された脅威論が、如何なる軍事戦略と紐づけられているかを考えるために、アメリカの軍事政策を少し見ておこう。

当然ながら軍事戦略は脅威やライバルの存在を前提にして案出される。それが無ければ攻勢的な軍事戦略が存在する意味がないと考えられている。だから、軍事戦略が案出されるためには、脅威やライバルの設定が不可欠なのである。その意味で現在、恰好の脅威やライバルとして対象とされるのが中国である。

そこで、ここ二、三年の間にアメリカ政府や国防当局が発表した公文書を簡単に追ってみる。

先ず、日本の防衛政策を追う場合に必ず登場してくる「アーミテージ・ナイ報告」だ。リチャード・アーミテージは、かつてジョージ・ブッシュ政権下で国務副長官など歴任した海軍軍人。ジョセフ・ナイはクリントン政権下で国防次官補などを勤め、アメリカの安全保障政策に強い影響力を与えてきたと言われる大学教授である。日本ではすっかり御馴染みの二人である。

その二人が連名で不定期に発表する報告が、アメリカ政府の日本の防衛政策を方向づけてきたと言われる。言われるとは少し引いた言い方だが、実際に報告を受ける形で日米両国政府が発表する「日米防衛協力の指針」（いわゆる、ガイドライン）に活《い》かされる。まるで報告が指令書の如く働くのである。

ただこの二人は確かにアメリカ政府の高官の地位にあったが、現在ではそうではない。ナイは大学に戻って教鞭を執る一研究者に過ぎない。しかし、慣習とは恐ろしいもので、この二人は依然として日本政府に強い影響力を持っているようだ。

その最新の報告書が二〇二〇年一二月に公表された。「第五次アーミテージ・ナイ報告」（The US-Japan Alliance in 2020）である。注目すべきは、報告書の副題である「地球規模での対等同盟」（An Equal Alliance with a Global Agenda）だ。勿論、今に始まったことではないが、アメリカ経済は、堅調な経済力を維持しているとは言うものの、その経済力には陰りが見え始めて久しい。それでも世界での覇権を維持するためには軍事力に頼るしかない。

しかし、その軍事力を支える経済力が相対的に落ちてきている現在では、同盟国に軍事力の一端を担わせることで、何とか辻褄を合わせ、従来と変わりのなく国際社会で圧倒的な力を示していきたい。そう考えるアメリカは、随分と前から同盟国分担体制を採るようになっている。ここで言う同盟国とは日本と韓国、オーストラリアだ。イギリスも入れたいところだが、アジア重視のアメリカとしては、特に中国の隣国である日本と韓国への期待が増す一方である。

そうした同盟国分担体制が、二〇一五年の集団的自衛権行使容認と新安保法制という、これまでの防衛戦略から大きく食み出す日本の防衛政策となって示された。日本はそうしたアメリカの軍事戦略に積極的に便乗することで、中国と対峙する方向に舵を切った。日本の積極的対米従属、とさえ言われるものだ。

それで「第五次報告」の副題である「対等同盟」とは、日本政府及び防衛担当者の歓心を誘う文言だ。決してアメリカの下僕ではなく、「対等」関係が保障されることになったのだと。だが、報告では中国に向けて「統合ミサイル防衛」が強調された。その役割を日本が全面的に背負うことになった以上、対等どころか一定の役割を負わされる羽目となった、と捉えるのが正解だろう。

台湾の現状と対中国姿勢

ここで日本、台湾、中国の三カ国の相互関係に関わる日米のやり取りを要約しておこう。

二〇二一年四月一六日の日米首脳会談における「共同声明」には、「新たな時代における日米グローバル・パートナーシップ」が華々しく謳われた。そこには、台湾問題が明記された。日米両国が台湾問題に全面コミットしていくことを確認したのだ。

それはこんな具合である。すなわち、「南シナ海における、中国の不法な海洋権益に関する主張及び活動への反対を改めて表明する」とか、「台湾海峡の平和と安定の重要性を強調するとともに、両岸問題の平和的解決を促す」というものだ。

あらためて対中国強行姿勢を明示するとともに、返す刀で「台湾海峡の平和と安定」に積極的に関与していくと言う。「一つの中国」の立場を繰り返し主張する中国政府の大方針を、事実上正面から否定する構えだ。そう受け取らざるを得ない日米両国政府の動きに、中国政府が厳しく反発して見せるのは織り込み済みとでも言うかのような振る舞いと言える。台湾独立問題を一端横において言えば、アメリカも日本も、中国と国交樹立の折には中国の主張する「一つの中国」論を是認した経緯もあり、中国は日米両国の変節ぶりに怒りを隠さなかった。

怒りと言えば、本年（二〇二二年）早々の一月七日にオンラインで開催された日米両政府の外交防衛担当閣僚会合（通称、2プラス2）の共同発表文に対する中国政府の反発も強烈であった。とりわけ、「台湾海峡の平和と安定性」に言及して、「緊急事態に関する共同計画作業の進展」を図るとした内容についてだ。林外相は「緊急事態」、すなわち有事事態に台湾有事が念頭にあるか否かについては言及は避けたものの、明らかに台湾有事における日米両軍事当局の積極的な関わりを暗に示したものである。

また、南西諸島に配備展開中の自衛隊基地に関連して、「日米の施設の共同使用を増加」すると明記した。これは既述した通り、自衛隊基地が同時にアメリカ軍基地にも使用され、その基地運用の主導権がアメリカ軍に取って替わられることを意味する。これは言うまでもなく、アメリカの「遠征前進基地作戦」（EABO＝Expeditionary Advanced Base Operation）に符合するものだ。

要するに、自衛隊の南西諸島配備も、アメリカの新たな戦略から導入された選択である。敵の前面に進出し、制海権を確保するために前進拠点として南西諸島が格好の足場とされるのである。この足場からアメリカは、中国に向けて戦力投射する作戦を練っている。今回の日米共同発表の真意は、アメリカの戦略を飲み込まされ、南西諸島全域を丸ごと出撃基地としてアメリカに提供することを約束したものだ。日本国民にとっては、極めて屈辱的な文書と言えるのではないか。中国はアメリカに一層の警戒感を抱き、アメリカの軍事戦略に唯々諾々として従う日本への不信感を募らせるばかりであろう。中国を怒らす前に、日本人こそ怒りをもって、この共同文書を批判していくべきではないか。

なぜならば、一九七二年の「日中共同声明」において、日本は中国との和解を推し進め、「一つの中国」論を承認するなかで、日中友好のために協力し合うことを約束したのではなかったか。それこそが、日中双方にとって、本当の安全保障を担保する選択としてあったはずだ。

日本政府や数多の日本人やメディアは、例えば韓国政府は両国間の約束事を反故《ほご》にする酷《ひど》い国だと非難するが、それと同じように日本政府は、「日中共同声明」の文言を反故にしている。そこには、「日本国政府は、中華人民共和国政府（共産党政権）が中国の唯一の合法政府であることを承認する」と明記されていたはずだ。

中国との長きにわたる戦争を踏まえ、時を経て日中両国には和解の機会が訪れた。それが日中友好条約の締結に繋がっていく。現在の両国関係の原点は、まさにこの「一つの中国」の合意がなったことから始まっている。それだけの覚悟と展望が日本国にあったからだと思いたい。この原点に立ったうえで、中台関係や日台関係を如何に展望していくかが重要である。

この原点を忘れて闇雲に台湾独立を支持し、台湾有事を想定しつつ、中国との軍事対立を深めようとすることは、自己撞着も甚《はなは》だしい。それは戦争の危険を自ら買って出るに等しい行為と言うしかない。台湾との国交断絶は、その判断の善悪の問題ではなく、当時における日本の対中国政策を含め、対アジア善隣外交の戦略的打算から導きだされた外交方針だったはず。そのうえで台湾が国際社会やアジア地域諸国から、決して孤立しない外交の在り方を模索してきたのではなかったか。

中台関係のこれから

ここで、台湾の現状と中国との関係に簡単に触れておきたい。

今後の中台関係とは、中国の言う内政問題であり、それは台湾にとっても内政問題であるはずだ。最も台湾は国際社会からの孤立を避け、何よりもアメリカからの支援を取り付けることに懸命である。しかしながら、望むべきは中台間での徹底した議論だ。丁度、韓国と北朝鮮との統一問題をめぐり、自主的平和的統一への途《みち》が模索されているのと同質の関係に、中台があると考えられないか。当然ながら中台自主統一には、想像が出来ないほどの難問が横たわっている。取り敢えず二点だけあげる。第一に、政治体制の相違問題、第二に民族問題である。

第一の問題だが、中台の統一を実現するとした場合、台湾に高度の自治権を付与するなどの手法があるが、既に香港と中国との関係から明らかなように、「一国二制度」は不首尾に終わっている。それ以外の統治システムを案出可能かが論点となろう。国交断絶後にあっても日米両国は台湾と深い連携を維持してきた。しかし、統一に不同意であっても、独立を表向きには支持している訳でもない。独立を支持するとなれば、日中共同宣言の見直しの作業が不可欠となる。なぜならば、宣言は繰り返すように「一つの中国」を確認しているからである。アメリカも同様である。

日米を含め、台湾との国交断絶に踏み切ったのは、中台統一という大前提があったからだ。従って、極論を言えば、日本は日中共同宣言を放棄して台湾と国交正常化に踏み切るか、それとも共同宣言に従って「一つの中国論」を確認しつつ、中台の平和的統一のために支援するかである。

前者をすれば中国は戦争発動を辞さない覚悟で平和統一ではなく、武力統一に動く可能性は頗る高い。決して戦争回避のためだけでなく、後者の選択がアジア地域の安定に結果する、と言う確信を何よりも台湾国民自身が抱くことが先決である。だが当然のことながら、統一か独立かの何れが台湾人にとって幸福なのかは、台湾人自身が決定することであろう。現在の蔡英文《ツァイインウェン》総統は独立でも統一でもなく、現状維持の姿勢を採っている。台湾には長らく政権を担当し、現在は野党として親中国路線を敷く国民党が存在する。これについて後でもう少し詳しく触れる。

第二の問題だが、現在の台湾国民（二三五六万人）は、福佬《ホーロー》、客家《ハッカ》、原住民族からなる本省人、外省人（戦後中国国民党と一緒に台湾に渡来した人）の四つのグループに大別される。このうち、福佬は閩南《ビンナン》民系とも呼ばれ、中国福建省などに居住する漢民族の一派である。台湾の全人口の七〇％（約一六五〇万人）を占める。中国大陸をはじめ、タイやベトナムなど東南アジアを中心に合計すると一億二〇〇〇万人を数える客家人は、台湾で約三四〇万人余りの一五％を占める。外省人は、一三％（約三〇六万人）である。そして、阿美《アミ》族（約二〇万人）、排湾《パイワン》族（約九万七〇〇〇人）、泰雅《タイヤル》族（約八万五〇〇〇人）、布農《ブヌン》族（五万六〇〇〇人）、太魯閣《タロコ》族（約三万人）など、原住民族として国家認定されている一六民族が居る。原住民族は、台湾人口の僅か二％（約四七万人）を占めるに過ぎない。

余談だが私は排湾族の居住する台湾南部の屏東《ピントン》県牡丹《ムーダン》で二度、布農族の居住地の一つである台湾中部の南投《ナントウ》県で開催された国際シンポジウムに一度出席し、講演と交流の体験を得ている。個性豊かな文化を育んで来た民族小集団だが、他の民族との交わりも大切にする人たちだった。現在の台湾政府も、これら少数民族には寛容な政策を採っている。因みに、牡丹は戦前期日本の最初の外征先である。西郷従道《つぐみち》率いる三五〇〇人の日本軍が侵攻した地。一八七四年に起きた台湾出兵である。

さて、こうした問題を挙げていくと、中台の統一には、是非論が出てくる。一九四九年に中国共産党が台湾に逃れた国民党との内戦に勝利したとは言え、台湾で再建されて一時は大陸反攻計画に執着した蒋介石政権の歴史を含め、中国共産党は台湾を統一しない限り、〝未完の中国革命〟と受け止めているのであろう。

中台関係は、それゆえ歴史問題であり、政治問題でもある。そうしたうえで、中国の動き如何の事柄だが、南北朝鮮と同様に自主的平和的統一の議論も何れ拍車がかかるのではないか。

現時点では夢想に近いかも知れないが、中台間で平和的交渉が実行されるようなアジア地域での政治環境づくりに、日本は労を惜しんではならない。現在、台湾では現状の中国との経済関係を含め、緩《ゆる》やかな連合体国家、連邦国家など、新たな国家形態を模索する動きも皆無ではない。

勿論、中国が圧倒的な経済力と軍事力を笠に着て、台湾への攻勢を一方的に強めることは問題である。かつて日本の軍隊占領地では、被占領地住民が軍政に対し敵対行動に走らず、協力的態度を採るように住民への援助を行った宣撫《せんぶ》工作が実施された。それと同様に中国は、言わば一種の宣撫工作に似た政策を様々なツールを用いて実施していることも良く知られている通りだ。

赤裸々な武力行使のリスクを回避するために、中国の影響力を持続的に行使する方法である。恐らく中国政府は、こうした非軍事的な方法により台湾を中国に接近させることが、現実的な統一手段と踏んでいるのであろう。そうした方法をも含めて〝平和的統一〟と称していくことになるかも知れない。

台湾の国外に向けた物流も人流も対中国が圧倒的である。二〇二一年における台湾の貿易において、全輸出の二八・一％（一二五九億ドル）、全輸入の二一・六％（八二五億ドル）が共に中国でトップである。台湾への入境者数は中国からが二七一万人で入境者総数（一一八六万人）の二二・八％で、やはり中国がトップである。台湾からの渡航者数では、トップの日本が四九一万人（全総数の二八・七％）だが、次いで中国が四〇四万人（同二三・六％）となっている。

こうした数字を挙げ乍《なが》ら、『朝日新聞』（二〇二二年一月二四日付）の「台湾の『中国ファクター』における習政権の浸透工作　統一狙い着々と」（台北支局長　石田耕一郎記者）との記事は、中国の台湾政策の実態の一面を突いた優れた報道記事だ。しかし、こうした中台の物流・人流の実態は、単に中国による「浸透工作」が功を奏している結果と速断するのも早計であろう。

言うところの台湾における「中国ファクター」は実に多様であり、奥が深い。ここは総合的かつ複合的に中台関係を観ておく必要あるように思われる。当然のことながら、それをネガティブに捉えるか、ポシティブに捉えるかは、中国と台湾の未来をどう展望するか、の立場によって分かれよう。

私はこれまで凡そ四半世紀の間に幾度も台湾を訪問してきた。そこでは、数多の台湾人との交流を通じて、中国との関係は好むと好まざるとに拘わらず積極的に深めていくことこそ、台湾やアジアの未来にとって相応しい、との感慨を漏らす人たちが年々増えていると感じている。従って、ここは石田記者の指摘する中国の「浸透工作」と同時に、台湾人の主体的な判断や選択という側面にも一定程度注目しておくべきであろう。

台湾の現在政権与党は民主進歩党（民進党）で、日本の国会に相当する立法院（定数一一三議席）のうち、六二議席を占める。民進党は、既述の如く中台関係で「現状維持」の姿勢を崩していない。また、第二党の中国国民党（同三八議席）は親中国派、第三党の台湾民衆党（同五議席）は中立的立場、独立志向の強い政党に時代力量（同三議席）や台湾基準（同一議席）などがある。台湾政治は議席数からして、基本的には民進党と国民党との二大政党制と言える。以上の政党の他に国民党に近く、中国との統一を主張する政党に新党、親民党、中国労働党、中華統一促進党などがある。これら各政党は、立法院に議席こそ得ていないが、中台統一に向けて活発な動きをみせている。

つまり、台湾政治では、対中国の構えについて実に多様な主張が活発に交わされているのだ。ただ、香港の事例から統一派が慎重となり、当面は政権与党の民進党をはじめ、現状維持派勢力が優位を保つことも間違いない。それでも長いスパンで追うと、年々中台統一への志向が強くなっているのも確かなようである。

「一国二制度で統一を実現しよう」の看板（中国厦門市）
出典）https://web.archive.org/web/20161015162955/http://www.panoramio.com/photo/37213068

その一つの証左として、「台湾の基本を固めて前進する」をスローガンとする独立派の急先鋒であった台湾基進の陳柏《チェンボー》惟《ウェイ》氏が、選挙で立法院に議席を確保したものの、二〇二一年一〇月二五日、リコールにより議席を失う出来事があった。同リコール問題は、二〇二一年の台湾政治の大きな注目点だった。それは、独立派の議員を支持する民進党と、独立に反対する国民党との代理戦争的な争いであったとされるが、真相は定かではない。はっきりしているのは、台湾では統一か独立かの選択で熱い議論が続けられていることだ。日本の報道に多く観られるように、独立へと収斂されていく道筋にはない。

　それで台湾の人たちの真意は、一体何処にあるのだろうか。数字的には、様々なアンケート結果がある。台北市にある国立政治大学が実施したアンケート調査（二〇一八年九月実施、調査対象者数一〇七五人）に依れば、台湾独立＝三六・二％、中台統一＝二六・一％、現状維持＝二三・二％、残りは分からないの一四・六％、という結果が公表されている。サンプル数は多くないが、大体実態に近いのではないか。

問題は、現状維持派の動向である。台湾政府の基本スタンスは、この現状維持を保守することにあるが、それは詰まるところ独立と統一のどちらに世論が流れるか見極めている、との見方もできる。現時点で台湾と国交を結んでいる国家は、世界で一四カ国余りと減じていく傾向にある。その背景として、確かに中国による切り崩しも無視できないが、中台統一による平和維持の期待感もあるからであろう。

中国の研究者やメディア関係者たちだけでなく、長らく台湾の研究者や友人たちとも中台関係のこれからを議論してきた私としては、以上の数字は中短期的な判断であって、長期的には統一派が増えていくのではないか、と実感している。

中台は既に一蓮托生の経済関係にあり、人流れも驚くほど活発だ。少なくとも民間ベースだけでなく、私自身、これまでに一〇カ所以上の台湾の大学での講義や講演、それに多くの研究者や文学者などとの対話のなかでも、繰り返しになるが、中台は「一つの中国」と言う把握が確実に進行している印象を抱いている。この四半世紀の間に外省人を酷く敬遠し、独立志向を露わにしていた私の友人・知人たちが再会するごとに現状維持から統一志向を口にするようにもなっている。私の造語だが、〝隠れ統一派〟あるいは〝暗黙の統一受容者〟たちの存在である。積極的な受容ではないが、未来を見据えた場合の有力な選択との判断があるのであろう。時代が経過したことも大きな理由だが、長らく本省人が抱いてきた外省人を敬遠する意識は希薄になっている。

今から六年程前、二〇一六年一〇月、中国の華僑大学（华侨《ホアチァオ》大学＝所在地は福建省泉州《チュエンヂョウ》市）での講演のため、台北市内の松山《ソンシャン》空港から中台紛争の激戦地であった金門《ジンメン》島に降り立ち、そこからフェリーで三〇分程度で対岸の大都市厦門《エーメン》に上陸したことがあった。台湾の友人三人と一緒だったが、出迎えてくれた沢山の中国人と台湾人たちとが、全く垣根なく懇談する様子は、民間レベルでの〝統一感〟や〝一体感〟が、ここまで深化しているのかと思い知らされたことを強く記憶している。これはコロナ感染が始まる前の二〇一八年七月に訪台したおり、かつて台湾立法委員（日本の国会議員に相当）であった人物と長らく話をしていても強く感じたことだ。

確かに、中国は覇権を追求する超大国へと変貌を遂げつつある。強面の姿勢を一切崩さない中国の対応ぶりに違和感を抱く人たちが日本の内外に多い。一方で中国の対米・対日政策は、事実上不変である。すなわち、中国は日中共同声明を尊重し、かつそこで合意された約束事を忠実に守っているだけに思われる。変わったのは、中国ではなくアメリカであり、日本ということも忘れてはならない。

そう考えるとき、先の日米首脳会談で「日本側から台湾有事が重要影響事態や存立危機事態に当たる可能性があるとの認識も伝えていた」との報道に接すると、その動きが中台関係の前進を敢えて阻むが如きの選択をしているようにも思われる。全く同質とは思わないものの、南北朝鮮の自主的平和統一に横車を押してきたアメリカと同様に、台湾において中台統一志向が鮮明になった場合、朝鮮半島の如く横車を押すことは禁物であろう。そうした中長期的な展望に立った場合、日本の対台湾・対中国姿勢は、慎重に動くべきである。台湾有事など乱暴な言葉や認識によって、両国間の行く末を妨害してはならない。

拍車かかる自衛隊の南西諸島配備

そうした中台関係の実情とは全く異なるベクトルで、既述の通り自衛隊の南西諸島地域への展開が急速に進められている。これに連動して自衛隊の最近の拡充計画も段々と明らかにされてきている。その極一例を挙げておくと、繰り返し指摘されているのが護衛艦「いずも」（満載排水量二万六〇〇〇トン、全長二四八メートル）の空母化だ。二〇二三年には同型艦「かが」も空母化される。両艦には垂直離着陸が可能なF35Bが登載されることにもなっている。こうして海上自衛隊艦艇の外洋化が急ピッチに進められている。日本の領海・領空ではなく、明らかに海外での作戦を想定しての装備拡充である。

航空自衛隊に配備されるF35Aの最新鋭戦闘爆撃機には、ノルウェーのコングスベルク社が開発したJSMミサイルを搭載する。射程が五〇〇キロもあり、いわゆる「スタンド・オフ防衛能力」を持つとされる。防衛用ミサイルと喧伝されるが、これは明らかに敵基地攻撃能力を保有する。つまり、防衛ミサイルとして宣伝されたミサイルの攻撃ミサイルへの変容が可能なのだ。

ならば近い将来に導入されるミサイルは、一体どのようなものだろうか。

現在、南西諸島に配備されているのは主にPAC3＝パトリオットミサイル（MIM-104 Patriot）だ。これはミサイルを迎撃する種別で言うとAMM（Anti Misail Misail）と言う。だが、現在確実視されている敵基地攻撃用に導入される可能性大なのは新型中距離弾道ミサイルであるトマホークである。そうなると自衛隊の専守防衛戦略が大きく逸脱することは必至だ。憲法第九条との亀裂も決定的となる。自衛隊が〝自衛隊〟でなくなり、先制攻撃を仕掛ける戦力として敵基地攻撃ミサイルを装備する段取りとなる。それこそが、アメリカ軍にとっても都合が良い。従来のように〝アメリカ＝矛《ほこ》／自衛隊＝盾《たて》〟の関係が逆転する日が迫っている。

日米防衛当局は、現代戦において攻撃されるまでに敵基地を先んじて破壊することが勝利の方程式だと言わんばかり。軍の合理性が優先され、外交や交流が後方に追いやられる事態が常態化しつつある。まさに戦前のように、軍事が民政に優先・優越することが、本来の意味での平和を担保することになるのだろうか。

そうした冷静な議論が近年益々劣化していることも背景にある。そうこうするうちにも自衛隊の攻撃基地が、「防衛基地」との口実で着々と進められている。特に二〇一〇年以降に独自の基地建設に拍車がかかり始めた。二〇一六年には、日本の最西端である与那国島、続いて石垣島、種子島、宮古島、馬毛島《まげ》に基地が相次ぎ建設された。これらの新基地にレーダー部隊とミサイル部隊を設置、中国軍の動きをチェックするのだと言う。

このうち種子島の西之表《にしのおもて》市大字の馬毛島は、アメリカ空母艦載機の陸上離着陸訓練（FCLP）地に予定されている。その設営費に日本政府は既に三〇〇〇億円を投入している。同島自体は防衛省が一六〇億円で開発会社から買い上げているが、地元自治体に対して防衛省は、アメリカ軍再編交付金として初年度分一〇億円規模の交付を検討していると言う（『朝日新聞』二〇二一年二月一八日付）。

二〇二一年一月の市長選挙でFCLP誘致反対で当選した八板俊輔市長は、あくまで反対の姿勢を示すが、種子島の他の二町（中種子町・南種子町）は賛成に回っている。自然環境保護よりも交付金による地域振興を求めているようだ。交付金による地域お興しは、手っ取り早い振興策だが、一時的に〝体力〟を回復しても、恒久的な体質強化には決して結果しないことを承知のうえのことだろうか。

また、台湾と一〇〇キロ余りしか離れていない与那国島には、二〇二三年頃を目途に電子戦部隊の新設が予定されている。敵の通信妨害を担う部隊だ。有事となれば、敵は真っ先に潰《つぶ》しにかかるだろう。

南西諸島への自衛隊の展開の効果を試すかのように、近年演習が果敢に実施されている。直近で言えば、二〇二〇年一〇月から一一月にかけて実施された「鋭い剣」（Keen Sword）演習は、コロナ禍のなかで自衛隊三万七〇〇〇人、米軍九〇〇〇人が参加する大演習だった。さらに、二〇二一年九月から一一月下旬にかけて実施された陸自大演習は、延べで一〇万人の自衛隊を全国から九州方面に移動する訓練が民間のフェリーをも徴用して実施された。

地図で一目瞭然だが、南西諸島に縦一線に展開配備された自衛隊基地は、正面を中国に据えた布陣だ。アメリカの軍事戦略が示す対中包囲戦略の枠組みのなかで、自衛隊が背中を押されているのである。かつてイギリスが南下政策を掲げるロシアを脅威国とみなし、日本と同盟を結んで日本をロシアに対抗させようとしたのと同様の構図である。

つまり、日英同盟（一九〇二年締結）が日露戦争を呼び込んだのであり、日本はイギリスの代理としてロシアと戦い（日露戦争＝一九〇四〜〇五年）、一〇〇万人の兵力を中国東北部に派兵し、凡そ一〇万人の戦死者を出す結果となった。つまり、日露戦争とは、事実上の〝英露戦争〟だったのだ。日本がイギリスの替わりにロシアと戦わされた代理戦争と言える。歴史は反復するとすれば、今日の日米同盟がアメリカの替わりに〝第二次日中戦争〟さえ起こしかねない、と言うことだ。

日本列島が米本土防衛の盾に

現在、メディアを巻き込んでの対中国脅威論、対中国嫌悪感の議論や感情が横溢《おういつ》している状況のなかに、かつての「暴支膺懲《ぼうしようちょう》」のスローガンさえ想起する。乱暴極まりなく、排日運動を繰り返す中国に鉄槌を加えるとの意味である。人権や海洋進出、一党独裁などを取り上げ、日本や欧米の価値観や政治制度、政治文化との異相を背景に中国への憎悪の感情が戦争への敷居を低くしている。

かつての日本のように驚異的な成長率を誇っていた中国も、近年では成長率の鈍化が顕著である。加えて、これまた日本と同様に人口構成のうえで高齢化問題が遠くない将来に待ち受けている。当然ながら社会保障関連経費が莫大に圧《の》し掛かる。
一人っ子政策の見直しが進められているが、広大な産業規模を維持する青年労働者不足も予測されている。確かに中国の巨大な経済力は、後一〇年余りでアメリカを凌ぐＧＮＰ世界一となるのは確実だ。しかし、四半世紀のタイムスパンで見たときに、復調したアメリカの経済力により抜き返されるとの予測も出始めている。移民政策の成果としても、四億人前後のさらなる人口大国となるアメリカの生産力が増えるとの見立てだ。

そこまで予測せずとも、要するに中国もアメリカも、そして日本も含めてとても軍事的緊張感を煽り合う状況にないことは明らかであろう。軍事に人材も資材も資金も投じる余裕は、どの国もないということだ。しかし、相変わらずアメリカは対中国軍事包囲網を緩める気配はない。

ここで『琉球新報』（二〇一九年一〇月三日付）掲載の次の新聞記事を紹介しておきたい。それは、「アメリカは、（ＩＮＦ条約廃棄により）禁じられてきた中距離ミサイルの再開発に着手、実験成功と発表している。エスパー国防長官（当時）は、アジア太平洋地域の米軍基地に早期に配備する考えを示している。想定敵は中国とロシアだろう。中国はグアムキラー、空母キラーと称される中距離ミサイルを既に保有しているとされる。その場合、有力な配備地が在日米軍基地となる可能性は高い。既にＣＳＩＣ（米戦略国防研究所）のリポート（二〇一八年五月）は、『太平洋の盾――巨大なイージス駆逐艦としての日本――』という表現さえ使っている」のだ。

ここに表記された「巨大なイージス駆逐艦としての日本」なる表現は、アメリカ政府が日本をどう位置付けているか絶妙に表現した言葉だ。かつてアメリカの湾岸戦争やイラク戦争の折に派遣されたアメリカの駆逐艦から発射されたトマホークミサイルがバクダッドを襲い、軍事施設だけでなく市民社会の破壊の限りを尽くした事は記憶されている通りだ。

中国に向けては、アメリカのミサイル発射艦を派遣せずとも、その役割を日本に負担させる構想が現実化しているのである。『毎日新聞』も、「日米両国政府は中距離ミサイルの日本配備の可能性を巡って水面下で協議している」（二〇二〇年四月一四日付）と報道している。

自衛隊の南西諸島シフトは、日本政府・防衛省・自衛隊が主体的な安全保障政策の一環として判断したものではない。米中戦争となった場合、「太平洋の盾」として日本列島がアメリカ本土防衛に利用されようとしている。つまり、南西諸島を含め日本列島に配備された自衛隊基地が、中国から飛来するミサイルを「吸収」するとの議論が、アメリカで実際に行われていることを忘れてはならない。

アメリカ本土防衛のために日本が盾にされようとしている現実を日本政府は、如何に理解しているのだろうか。日本の歴代政権は一貫して日米関係の安定化を強調してきた。果たしてそうだろうか。米本土の盾として、かつての沖縄は日本本土防衛の捨て石、あるいは盾にされた。それと同様にアメリカ本土防衛の盾にされかねないアメリカの軍事戦略を容認することが、「安定化」の言葉で容認されようとしている。

アメリカは自らの防衛のために、極めて硬直した姿勢で日本の防衛努力を求めている。それは同時に日中対立を促す結果を招来する。このことへの気付きがないのは、現在の日本政府に日本国民の安全を全うし、中国をはじめとする近隣諸国との友好平和創りの途に後ろ向きであることを示すものではないか。

事実を繰り返し述べれば、米中対立を起因として有事となり、沖縄・南西諸島がミサイル攻撃を受け、戦場となった場合の島民の避難計画は全く無いに等しい。あっても政府は自治体に丸投げの状態だ。これは、南西諸島に居住する日本人の安全がアメリカ人のために犠牲を強いられることを意味する。年々増額の一途を辿る防衛予算という公費が、アメリカ人を守るために湯水の如く使われていることに、なぜ日本人は沈黙を続けるのだろうか。

　ここでかつて関東軍の参謀であった草地貞吾が満州に入植した邦人の保護について聞かれたときの返答を記しておこう。それは、「軍は生命よりも崇高な国家防衛・民族保全・伝統文化宣揚の中核的実力として厳然として存在すべきものだ。その極限状況というのは戦争（戦闘）そのものであった。住民保護の如きは二の次である」（草地貞吾『中国残留孤児問題の大観』日本防衛研究会、一九八六年、傍点引用者）と言い放ったことだ。まさか日本政府も防衛省も、この草地と同様の認識でいる訳ではないと信じたい。

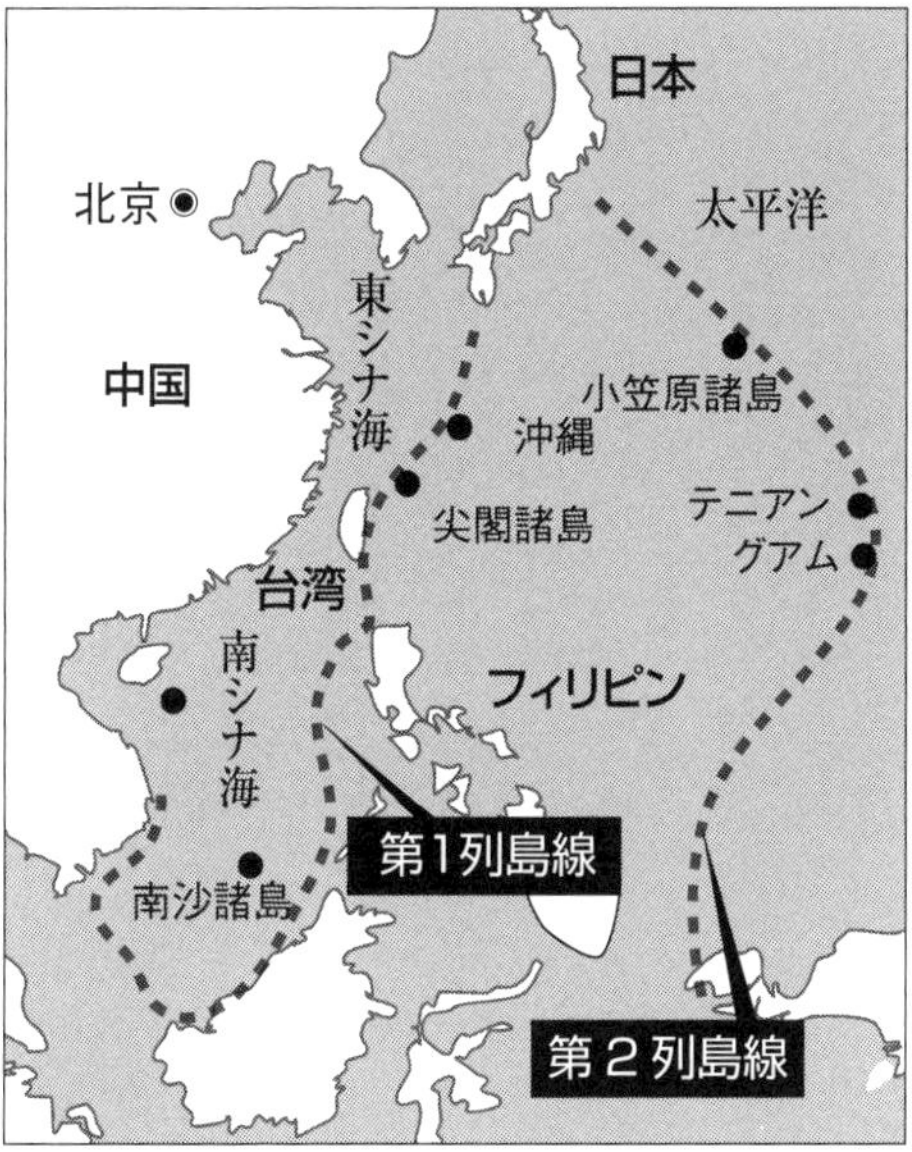

第一・二列島線図
出所）https://www.bing.com/search?q

　恐らく南西諸島を日本防衛の「抑止の壁」と位置づけ、その抑止力効果を期待する考えがあるが、猛烈なミサイルの飛来に完全に対応することは軍事的には不可能である。打ち漏らして着弾した相当数のミサイルが、どれほどの甚大な被害をもたらすか。ところがアメリカは日本がミサイル攻撃を「吸収」して、ミサイルを半減すれば中国の軍事力を相当程度削ぐことになると計算している。

　そうしたアメリカの戦略の一端を赤裸々に綴った一冊がある。話題本となったトランプ前米大統領政権の高官（大統領補佐官・国家通商会議議長）であったピーター・ナヴァロの『米中もし戦わば――戦争の地政学』文藝春秋、二〇一六年。文春文庫、二〇一九年。原題は、*Crouching Tiger: What China's Militarism Means for the World*, Prometheus Books, 2015）である。そのなかで、日本列島を戦場にするアメリカの対中国戦略を提唱している。ナヴァロは中国を *"Crouching Tiger"*（臥虎蔵龍《がこぞうりゅう》）、すなわち「伏せる虎、隠れる龍」と形容し、脅威感情を露わにしたタイトルを付した。

　ナヴァロの同書から少し引用しておこう。

　先ず、アジア地域におけるアメリカの軍事資産（＝軍事力）の抵抗力を格段に高めるために、「中国のミサイル攻撃の第一撃（特に、第一列島線上の基地インフラに対するもの）を確実に吸収できるようにすること」（同書、二二八頁、傍点引用者）として、沖縄・南西諸島がミサイルの受け皿とすることによって、中国軍事力の消耗を図るとしているのである。

　そして、「東アジアにおける沖縄の戦略的価値」と題する項では、以下のように記す。

　すなわち、「基地や艦船といった高価値資産を日本列島全体に再配置すれば、中国にとってはターゲットを絞り込むことが遥かに困難になるだろう。たとえば、およそ一〇〇〇キロにわたって伸びている琉球諸島には、アメリカやその同盟諸国の空軍及び海軍が使用することのできる港湾施設や飛行場が数多く存在する。琉球諸島の南西の島々にまで軍を分散して配置することができれば、中国にとってターゲットを絞り込むことは非常に困難になるだろう」（同書、二二九頁、傍点引用者）と。

　沖縄・南西諸島の軍事施設強化が、アメリカにとって大きな軍事的利用価値があることを赤裸々に語ってみせる。南西諸島防衛の名で強行されている自衛隊配備が、実はアメリカの対中国戦略の一環として位置付けられていることを証明する記述である。アメリカは、最初から中国と事を構えるのではなく、有事となれば可能な限り中国の攻勢作戦を引き出し、日本列島の犠牲をも顧みず、中国を消耗させ、その後に戦力投射する作戦を構想しているのである。

かつて沖縄が日本本土防衛のために「捨て石」とされたのと同様に、今度はアメリカ本土防衛のために日本列島が「捨て石」にされようとしている。米中対立から米中戦争に発展した場合を予測して、アメリカは日本の背後から戦力を消耗した中国に攻撃を仕掛け、その軍事力の粉砕を意図する作戦を練っているのである。中国を殲滅せずとも、今度はかつての日本に代わって中国を〝膺懲〟することで、中国を大国の地位から引きずり落とす作戦計画である。

一番に割を食うのは、中国のミサイル攻撃で甚大な被害を受けることになる沖縄・南西諸島住民をはじめ、日本国民ということになる。イメージで言えば、武蔵坊弁慶（＝日本）が牛若丸（＝アメリカ）を守るために満身に矢（＝ミサイル）を受け止めるようなものである。矢が放たれたなら、誰が被害を受けるのかは明らかだ。こうしたシナリオを実現するために、アメリカの後押しを受けて強行される自衛隊の南西諸島への展開である。

自衛隊基地受入れ容認の地元自治体関係者のなかには、軍事に関わることで地域振興を図ることを当然視する見解を口にする人たちもいる。人間の生命・健康ばかりか、自然をも破壊する戦争の危険性を承知の上だとすると、その時点で人間の尊厳や自然環境によって生かされてきた人間の存在を否定するものと言えないか。抑止力強化や脅威対象措置との大義名分の非実効性も含め、そこに示されるのは人間存在自体を凌駕する軍事優先の論理である。軍事的安全保障から人間的安全保障への転換の必要を益々痛感する。

日本の安全と日本人の生命・健康の危機を招きかねない日米同盟の強化と自衛隊の南西諸島配備は、百害あって一利なしである。日本政府や日本人は、そうしたアメリカの軍事戦略を許してはならない。

相次ぐ自衛隊の新装備と尖閣諸島問題

アメリカの軍事戦略やナヴァロの著作などを通じて明らかなように日本列島住民丸ごと犠牲を強いるアメリカの戦略が、本当に日本人の安全に繋がるとは到底思われない。平時にあっても、何時有事に転化するか見通せないなかで、自衛隊配備が進み、近い将来にはアメリカ軍が参入する可能性も排除できない。日本政府やメディアなどで中国脅威論を声高に叫ぶ人たちは、沖縄・南西諸島の住民だけでなく、日本列島全体にも犠牲を強いることを前提とする、このアメリカの軍事戦略を知ってのことだろうか。

そうした背景がありながら、特に最近では南西諸島に配備された自衛隊施設のミサイル部隊が中国を射程に据えて配備が進められている現状にある。それで問題はここからである。中国を射程に据えたミサイル部隊を是とするか非とするかだ。日本政府はミサイル陣地があくまで離島防衛から本土防衛を目的だとする公式見解を崩すことはないはずである。

問題は日本政府の公式見解があくまで防衛用のミサイル陣地だと口を酸っぱくして説いても、一〇〇〇キロ以上に及ぶ南西諸島に、ある意味で非常に濃密なミサイル陣地の砲列が敷かれたのでは、中国でなくても当然ながら心穏やかでない。その中国も遅れを取り戻すとばかり、岩礁を埋め立てて滑走路を建設し、ミサイル発射装置を設営して対抗せざる得なくなってくる。

自衛隊のミサイル陣地の設営計画が、その意味では中国の軍拡を誘引しているとも言える。結局はどちらが先か、という堂々巡りに入り込むのが常套となる。日中双方とも莫大な予算と人員を投入して、この果てしない軍拡競争の連鎖に巻き込まれてしまっているのが現状だ。引くに引けない相互関係に追い込むのが軍拡競争の怖さである。充分にそのことが分かっていながら、お互いに国家の威信をもかけて譲歩できないでいる。
ナヴァロの指摘に沿うように、アメリカの新たな作戦計画では、小規模分散部隊を第一列島線上に配置し、敵ミサイルの射程内で戦う陣形が築かれようとしている。配備拠点候補は一二カ所ほどで日本の対馬、馬毛島、奄美大島、沖縄本島、宮古島、石垣島、与那国島などが含まれる。また、二〇〇〇人規模の海兵沿岸部隊をハワイ、沖縄、グアムに展開し、対艦・対空ミサイルを装備する予定だ。海兵隊は戦車も廃止して、強襲上陸作戦部隊から海空軍援護部隊に変身する予定でもある。そして、自衛隊は日本型巡航ミサイル（スタンドオフミサイル）の開発を計画中だ。現状では、ＰＡＣ３などのミサイル配備が着々と進められているのである。

それでは、拍車がかかる自衛隊のミサイル兵器の配備計画とは一体どのような内容だろうか。その一端を見ておきたい。

先ほど少し触れたが、Ｆ35搭載のＪＳＭ（Joint Strike Missile）としてノルウェーのコングスベルグ・ディフェンス&エアロスペースが開発中の対艦・対地巡航ミサイル実戦配備計画が進行である。また、アメリカ・レイセオン社製の射程九〇〇キロのＬＲＡＳＭ（Long Range Anti-Ship Missile）や、統合空対地スタンドオフミサイルのＪＳＳＭ（Joint Air-to-Surface Standoff Missile）の導入計画など目白押しである。こうして奄美大島から与那国島を結ぶ長大な自衛隊基地ネットワークの形勢が、アメリカ軍と歩調を合わせて押し進められている。

その意味するところは、予定されている対艦・対地ミサイル（中距離ミサイル）に重点が置かれていることから、中国海軍を想定した通峡阻止（平時は監視、有事は阻止）に置かれている。日本政府・防衛省・自衛隊の説明する離島守備ではなく、縦深性《じゅうしん》が担保された攻撃のための戦列を構築する目的と言える。これらのミサイル攻撃の陣形に加え、日本版の海兵隊と言われる水陸機動団（二〇一九年に創設、略称は水機団）が連動して、敵地攻撃の後に敵制圧部隊として進攻作戦を想定（その装備は沖縄米海兵隊と同一装備）されているはずだ。

ところが佐世保市の相浦《あいのうら》駐屯地に配備された陸自の水機団は、揚陸作戦に従事するとしながら、同部隊を輸送する海上自衛隊の装備は、「おおすみ型」輸送艦（基準排水量八九〇〇トン）三隻と同艦搭載のオーバークラフト型揚陸艇六隻、四二〇トンの輸送艇二隻だけである。これで揚陸作戦を実行するのは無理である。アメリカ海兵隊の編成替えで、アメリカはそもそも強襲上陸を主任務から外したことは、有事の場合、自衛隊は単独で揚陸作戦を敢行することとなる。純軍事的合理性の観点から言えば、自衛隊は揚陸作戦能力を欠落させたままで揚陸作戦を構想しているのである。その意味で攻勢作戦実施部隊としての水機団の存在は抑止力にもならず、緊張を煽るだけの部隊と言える。

敵基地攻撃能力にしても、言うところの敵の位置や規模、軍事施設と民間施設などの峻別能力を欠いたまま、一体何処に先制攻撃を行おうとするのか。純軍事的に見て、大いに疑問である。その前に、国連憲章第六章第三三条が示す交渉・審査・仲介・調停・仲裁裁判・司法的解決など平和的解決の手段を如何に実行していくかを問い、そのための平時からする検討こそ優先されるべきであろう。

尖閣問題の背景

かつて日中共同宣言から日中友好平和条約を締結することで、過去の戦争相手国との和解を成立させ、日本には中国ブームさえ拡がっていた。コロナ禍が始まる直前の二〇一九年に日本を訪問した中国人は九五九万人に達した。同年の訪日中国人のインバウンド消費額は二兆四一八億円、一人当たり二一万二八一〇円の消費をしたことになる。

そもそも中国人の外国旅行熱は極めて旺盛で、二〇一八年には、一億六一九九万人が香港、タイ、マカオ、日本、韓国などに出かけている。一方、日本人の訪中はピーク時には四〇〇万人を超す年もあったものの、二〇一五年の二四九万人以降、減少傾向にある。また、日本人の台湾旅行者は二〇一七年で一九〇万人程度となっている。

実は現在でも日本にとって中国は最大の貿易相手国である。日本の市民生活にとっても、実にあらゆる分野に中国商品が溢れている。また、二〇二一年一月現在の統計だが、中国に進出している日本企業は、実に一万三六四六社に達している。内訳は自動車など製造業が五五五九社、卸売業が四五〇五社、小売業が四四三社となっている。一方で日本に進出している中国企業は三三七社、これに香港の一六三社を加えると五〇〇社を数える。

こうした深い経済関係を取り結びながら、両国政府間には、不信と対立が深まるばかりだ。何がそうさているのか。良く言われる〝政冷経熱〟状態は不変である。その原因は絞れば、先ずは二つあろう。

一つ目に歴史問題。依然として南京虐殺問題などでは、その有無をめぐる論争が続いている。歴史研究のレベルではとっくに決着がついているはずだが、日本政府は公式にキチンと謝罪していない。これに類した歴史の清算が全く不十分だ。例えば、重慶爆撃で数多の犠牲を強いたことを問う裁判等で中国人遺族への補償が認められなかったケース、また、戦争期間中に日本軍兵士が中国の文化財を強奪して返還に応じないケース等などだ。

二つ目に領土問題。その象徴事例としての尖閣諸島の領有をめぐる問題である。日本が尖閣諸島の名称で保有を主張しているだけでなく、中国も台湾も共に固有の領土論を主張して譲らない。中国では尖閣諸島を「釣魚島《ディアオユーダオ》」と呼称し、同じく領有を主張する台湾は「釣魚台《ディアオユーダオタイ》」と呼称する。

台湾が実効支配する太平島（2016 年）
出典）内政部提供、中央社。太平島での救援訓練を外国メディアに公開したもの

尖閣諸島をも含めて、日本の世論は中国の海洋進出に苛立ちを隠そうとしない。海警なる準軍事組織まで繰り出し、「領海侵犯」まで繰り返し、領空にも接近し、日本に圧力をかけている実態に脅威感情を掻き立てられている。反中国派にとっても、絶好の反中国宣伝の材料である。

この領土問題の根底には、日本の歴史責任問題がある。すなわち、サンフランシスコ条約において、日本は領有していた新南群島と呼ばれる南沙《スプラトリー》諸島、中国の海南島南東三〇〇kmの位置にある西沙《パラセル》諸島も同時に放棄することになった。

そうしたなかで、アメリカからフィリピンが、オランダからインドネシアが、フランスからベトナムが、イギリスからマレーシアがそれぞれ独立したのを契機に、これら独立国がこれらの海域に進出して島を領有する。

台湾は一九四六年から南沙諸島で最大面積の太平《たいへい》島（面積＝約〇・五一平方km、東西一二九〇m、南北三六六m）を占領し、現在では外国の上陸を封じている（上の写真参照）。事実上の軍管理下に置かれている。これら独立諸国は、いわば地の利を活かして島々をそれぞれ領有し、漁場や軍事施設を確保し、領海の範囲を拡げることに成功していく。

ところが暫く国際社会から除外されていた中国は、一九四九年一〇月に建国を宣言した後、大陸に近接する海南島こそ確保するものの、南シナ海（東中国海）に進出し、領海の拡張や海洋・海底資源の確保を期

中国が実効支配する南沙諸島にあるファイアリー・クロス礁（2020 年）
出典）A Planet Skysat captured this image of Fiery Cross Reef in the South China Sea on May 3, 2020. Constructed between 2014 and 2017, Fiery Cross reef is one of China’ s seven artificial islands in the Spratly Islands and represents a continued military presence in the region.

待するも、岩礁しか残されていなかった。島領有については、以上の独立諸国から大きく後《おく》れを取ってしまった訳である。

そこで中国は二〇一四年頃から、全部で七つの岩礁を埋め立てて自国領土とし、軍事基地を設営する。特に注目されているのは、南沙諸島のひとつで、英語名をファイアリー・クロス礁（Fiery Cross Reef）、中国名を永暑島（上の写真参照）である。東西三七五〇m、南北六〇〇mで面積は二・七〇平方㎞の同島に三一六〇mの滑走路、四〇〇〇トンまでの艦艇を接岸可能な港を設営し、地対空ミサイルの発射基地を設営している。中国にとって岩礁の埋め立ては、言わば苦肉の策であった。

問題は事実上の軍事基地が設営された太平島を領有する台湾などについて

は、全く不問に付されながら、中国だけが強欲に岩礁を埋め立て領土化したとして批判の俎上に挙げられていることだ。因みに台湾が実効支配する太平島には軍関係者を中心に約二〇〇人が駐在し、一二〇〇ｍの軍用滑走路、三〇〇〇トン級の船舶が接岸可能の港湾施設がある。

ついでに言えば、台湾が領有する太平島も、中国が領有する永暑島も、さらには日本が領有する沖ノ鳥島も、二〇一六年には国際仲裁裁判所で、いずれも「島」とは裁定されなかった。台湾、中国、日本の三国はそれぞれ、国際法上では認知されていない「島」を、不当に領有していることになる。その点でも、中国だけを責めるのは不公平である。

従って、尖閣問題は日本の戦争処理過程の中で派生した歴史問題であり、海洋進出は中国だけの問題ではないことに、先ず注目しておかないと、敢えてする中国批判となってしまう。もっと言えば、中国が尖閣諸島の領有権に拘るのは、先ほども触れた日本の戦争責任に絡む戦争処理問題と言う側面も無視できない。

それに加えて、中国の海洋進出の目的が何処にあるかだ。先ほどのこれら海域周辺諸国と同様に領海拡張、海洋・海底資源の確保などの理由は共通するが、もう一つ中国には、これら海域が中国にとっての死活問題である資源輸送ルートになっていることだ。中国が資源大国だとする認識があるかも知れないが、一四億人を超える人口超大国でもある中国は、石油や小麦など、工業資源や食料資源の最重要品目が国内では充足できない。それで石油をアラブ諸国、小麦をオーストラリアなどから大量に輸入せざるを得ない。その多くは特に上海、寧波、深圳、広州港等に運ばれ、そこから北京などに搬入される。

これらの海洋ルートが封じられれば、中国は文字通り兵糧攻めに遭遇することになる。その危機感は私たちの想像をはるかに超えていよう。北京や上海への物資運搬に船舶は必ず台湾海峡やスンダ海峡やマラッカ海峡などの通過を余儀なくされるからである。

二〇二〇年度の中国の石油輸入量は四・五億トンに達し、海外依存度は五五％。このうちマラッカ海峡は八〇％の通過率（日本は八七％）である。そのために中国は地上パイプラインの建設など現在輸入路多ルート化を検討中とされる。それだけ海上輸送には危機感を持ち、切迫感を持って対応を余儀なくされている現状だ。

海上交通路の確保が死活的に重要だとする認識は、日本も同様である。一九八〇年代の初頭、航路帯《シーレーン》設定をして自衛隊の艦艇を出して、いわば〝防壁〟を構築するシーレーン防衛構想が打ち出されたことがあった。それを奇禍として海上自衛隊の艦艇が大型化し、その建造が急がれた経緯があった。そのことを想起すれば、事の是非は別にして、中国が海軍力を中心に軍装備強化を図っている真意も読み取れる。

中国の海軍や海警の艦艇の過剰なまでのデモンストレーションは、何が何でも生命線である海洋ルートを守るのだ、とする意思を示すものとも言えよう。米中対立と日中軋轢が深まる一方のなかでは、この中国の振る舞いは当分止むことはないであろう。ならば米中和解への方途を探し、日中軋轢の解消のために、日本国民は如何なる選択をし、日本政府及び与野党はどうすれば良いのか。そこでは日中国交回復の起点となった日中共同宣言で約束したことを反故にせず、何故様々な課題を背負いつつ、未来志向で国交を取り結んだかを振り返ることしかない。

中国は日本に展開するアメリカ軍や三自衛隊に関する軍事情報を確保するため、航空機や艦船を日本に接近させている。アメリカも中国の奥地に至るまでの軍事施設を主に偵察衛星を中心に入手している。いわゆる「政冷経熱」状態が続くなかで、「軍」の領域では米中日三国の鬩《せめ》ぎ合いが一段と活発化しているのが現実である。

その現実のなかで中国は、アメリカや日本との経済紐帯関係を破棄するとは到底思われない。経済という手で握手をしながら、政治という手で拳をお互いに挙げた状態だ。そして、お互いに足で蹴り合う様相にある。日本はアメリカとの同盟を理由にして日中関係の改善に様々な理由をつけて億劫《おっくう》がっている。そうではなく、歴史問題を先ずは解決する方向性のなかで、日中関係を一九七二年当時に戻し、米中和解の仲介役をも買ってでる外交力が欲しいものである。対立や軋轢の解消のなかで、もう一度国家関係を正常化し、胸襟を開いて交流を深めるなかで、人権問題や気象問題などアメリカや日本側の言う課題につき、中国に真摯な回答を求めていくことが本筋ではないか。

日本政府や外務省、あるいは保守的な政治家たちは、中国に対しては毅然とした態度で臨むべきだと声高に叫ぶ。自らの意志を明確にすることは結構だが、そこに課題が存在するならば、智恵を絞り、努力を重ねるなかで事態の解決を提示していく度量を発揮することが、一層肝要であろう。本来は外交用語にない「外交的ボイコット」なる粗雑な用語で、我先にと言わんばかりに罵《ののし》るのは聞いていても見苦しい限りだ。

人権問題も拉致問題も批判からは解決の糸口は見つからない。相互の関係の構築と対話の機会の創り出しにしか方法はないのである。妥協や打算を忌避したい気持ちは理解できない訳ではない。恫喝や抑圧、戦争に発展しかねない排除や制裁の手段の行使から、相互に不幸な結果しか得られないのは歴史が教えているはずだ。

2　鬩《せめ》ぎあう米中の軍事戦略を追う

立ち位置を変えるアメリカ

近年のアメリカの国防戦略に大きな変容が露見されることは、誰しもが認めるところだろう。従来のアメリカは、その一頭地を抜く軍事力と、それを支える経済力を基盤とする覇権能力が存在した。世界で一五〇カ国余りに張り巡らせた大小合わせて七〇一カ所（二〇二一年現在）に及ぶ軍事基地や施設、軍人・軍属の合計で約四五万人が海外に駐留し、その維持経費だけで毎年約一五〇〇億ドルが投入されている。現在、世界の国家は二〇六カ国となっているので、アメリカは世界の凡《およ》そ七三％の国家に軍事施設を保有していることになる。その強大な力は依然して他国の追随を許さない。しかし、その絶対的な優位性は、有体《ありてい》に言えば相対的優位性へと変質してきている。それはアメリカ資本主義経済の後退現象として、既に多くの出版物を通して指摘されてきた。

例えば、アメリカを中心とする国際秩序の崩壊やアメリカの衰退を大胆に予測したアントニオ・ネグリとマイケル・ハートの共著『帝国――グローバル化の世界秩序とマルチチュードの可能性――』（以文社、二〇〇三年）や、アメリカが南北戦争以降における生成と発展の段階から、現代において衰退の局面に入っていることを論じたビクター・バルマー・トーマスの『後退する帝国（Empire in Retreat）』（エール大学出版、二〇一八年。原題は、*Empire in Retreat: The Past, Present, and Future of the United States*）などは、〝帝国アメリカ〟の現在的位置を知るのに格好の書籍に思われる。これに類した出版物は年々増えてもいる。

これらの書物は〝衰退するアメリカ〟と〝勃興する中国〟と言った局面でアメリカの衰退を論じている訳ではない。アメリカの衰退は中国の勃興の反作用として現れる、と言った指摘があるが、私はそうは思わない。限られた資源を中国が奪い尽くすかの論が目立ちはするが、アメリカが一国で躓《つまず》き始めたと言ったほうが良い。

アメリカの凋落は明らかで、アメリカの著名な調査機関ＰｗＣ（Pricewaterhouse Coopers）発表の「二〇五〇年の各国経済力比較」（The long view : how will the global economic order change by 2050）の予測文書に

よれば二〇五〇年の経済規模は、中国、インド、アメリカの順で、二一世紀の後半ともなるとアメリカは中国の約半分となる。以下、インドネシア、ブラジル、ロシア、メキシコと続き、日本は八番目にカウントされる。

それもまた米ソ冷戦の時代と異なるところだ。米ソ冷戦の時代は、両国の軍拡競争が熾烈を極め、旧ソ連はその軍拡競争に軍需は潤うものの、資源や人材が軍需に強引に動員・吸収されたがため、民需関連企業が疲弊していった。ソ連崩壊の一つの有力な原因である。

アメリカの場合、中国との間に軍拡競争をしているという認識はない。経済だけでなく軍事領域でもグローバル化が進行している現在、アメリカは中国一国を相手にして軍事力の維持強化に励んでいる訳でないにしても、軍事のグローバル化に経済力がカバー仕切れない状態が続いている。

確かにアメリカの軍需産業はアメリカ資本主義のリーディング・セクター（先導部門）である事実に変わりない。だが、現在では周知のGAFA（Google、Apple、Facebook、Amazon）に代表される情報通信・流通などの巨大企業に、その役割を次第に奪われ始めてもいる。因みに、フェイスブックは、二〇二一年一一月二八日に社名をメタ・プラットフォームズ（Meta Platforms）に変更している。それは兎も角、GAFA四社合計での売上高が日本円で三〇兆円（約二九九一億ドル）を超えている。なかでもアマゾンは最新の報告で一〇八五億ドルとなり、軍需産業界の最大手ロッキード・マーチンの四三九億ドル（二〇一七年）の二倍強となっている。

中国でも同様な事態に入ることも予測される。例えば、世界六位の軍需会社である中国航空工業集団（AVIC）は二〇一億ドルの売り上げを記録している。だが、中国の流通最大手のアリババグループ全体の売上高は、二〇二〇年の円換算で約二兆三〇六三億円、ドル換算で約二三〇億ドルとなり、AVICを凌駕している。

こうした傾向は実は米中に限ったことではない。タレス（フランス、九〇億ドル、世界一一位）、レオナルド（イタリア、八八億ドル、一二位）、アルマズ・アンティ（ロシア、八六億ドル、一三位）など名だたる軍需産業も、国内ITや流通関連企業に後塵を拝している状態だ。

中国でもアメリカの「ガアファ」に準《なぞら》えて言えば、「バス」（BATH）の台頭が著しい。BATHとは、中国の巨大IT流通企業である百度《バイドゥ》（Baidu）、阿里巴巴《アリババ》（Alibaba）、騰讯《テンシュン》（Tencent）、華為《ファウェイ》（Huawei）の頭文字を取ったものである。近々の売り上げは、百度が一二六八億ドル、阿里巴巴が五四八億ドル、騰讯が四五四億ドル、華為が一〇七四億ドルと総額で三四四四億ドルとなり、GAFAを凌駕している。自国だけで、敢えて言うならば凡《およ》そ一四億人のユーザー対象を確保していることが強味だ。

こうした点だけを一部切り取ってみると国家を発注元とする軍需企業は、今やグローバル企業の代表格となったIT企業の後塵を拝する状態だ。従って各国の軍需企業は生き残りをかけて、自国政府の国防政策の充実と最新兵器の購入を迫っている。

その結果として、各国政府は軍事的緊張の常態化を好む傾向に陥っている。軍と軍需産業界で形成される軍産複合体の強大な権力が、まさにセングハースの言う「軍拡の利益構造」を創り上げている。その軍産複合体が軍事的緊張の常態化を求めているのである（ディーター・ゼングハース『軍事化の構造と平和』中央大学出版会、一九八六年、参照）。

それがアメリカを筆頭とする大国のIT流通企業の急速な成長によって、これに対抗する意味も含め、軍事費増額要求を政府に迫っている。取り分けアメリカでは、中国の台頭を口実とする軍事費増額に結果している側面もあろう。

アメリカを盟主とする多国間同盟

ここで、アメリカの軍事戦略に関連する文書を三、四年年遡って少し追っておきたい。

先ず、二〇一八年一月に公表されたアメリカの「国家防衛戦略」（National Defense Strategy）には、アメリカの軍事的優位性劣化を認めつつ、長期化した中東の戦争ではなく、今後の優先課題は中国・ロシアとの競争にあると断じている。対テロ戦争の幕引きから、大国間競争の時代に移行しているとの認識だ。そのためにインド太平洋地域ではパートナーシップを拡大する選択を進めている。同戦略は四年後にあたる今年（二〇二二年）中には改訂版が発表される予定だが、対中包囲戦略が一段とクリアにされることは間違いない。

アメリカはここに来て日本や韓国など同盟国との関連を非常に密着した関係に持っていこうとする一方で、いわゆる多国間安全保障体制ともいうべき枠組み創りに懸命だ。その象徴として、主に経済安全保障に力点を置く「クアッド」（ＱＵＡＤ）と、軍事的安全保障に力点を置く「オーカス」（ＡＵＫＵＳ）がある。バイデン大統領は孤立主義を標榜していたトランプ前大統領と異なり、多国間安全保障体制を築こうとしている。

「四つ＝ｑｕａｄ」を意味する「クアッド」は、日本、アメリカ、オーストラリア、インドの四カ国からなる、いわば緩やかな多国間同盟である。「オーカス」（ＡＵＫＵＳ）は、オーストラリア（ＡＵ＝Australia）、イギリス（ＵＫ＝United Kingdom）、アメリカ（ＵＳ＝United State of America）の頭文字を取った名称である。

つまり、この二つの枠組み参加国は日本、アメリカ、オーストラリア、イギリス、インドの五カ国となる。イギリスを除いてはインド・太平洋周辺国となり、これが対中国包囲網を形成する格好となっているのは、内実とは別に明らかだ。これに対応するかのように、既に中国を中心とする「上海協力機構」（ＳＣＯ＝

Shanghai Cooperation Organization）が創設されている。加盟国は、中国、ロシア、カザフスタン、キルギス、タジキスタン、ウズベキスタン、インド、パキスタン、イランの九カ国である。

　こうなると二つの軍事や経済の分野で協力関係を構築し、相手側と対峙し、段々と前のめり状態に入っているように思われる。このなかでインドは、実に絶妙な外交政策を採っていて、この二つのブロックに片足ずつ置いている。インドは政権交代によって軸足を微妙に変えているが、基本的にどちらにも全面的に肩入れしたくない、という良く言えばバランス外交を敷いている。

　それはともかくインド・太平洋海域周辺諸国では、まだ近未来の大国であるベトナムやインドネシアの立ち位置が不明でもあり、これに加えてラオス、カンボジア、タイ、ミャンマーなどの諸国が、どちらの陣営に与《くみ》するのか、中立的な立場を貫徹しようとするのか、不透明な部分も残っている。それでアメリカも中国も、それら態度保留の諸国家を引き入れるのに懸命である。因みに、軍事クーデター（二〇二一年二月発生）以後のミャンマーは微妙な立場にある。

　こうした枠組み創り自体が、米中の対立や軋轢の要因になっている。暫くは鍔迫り合いが続くことは誰の目にも明らかだ。その鍔迫り合いから、軍事衝突が引き起こされる可能性は高くなる。その理由は、どちらかの陣営に組み込めば、陣営内から食料や資源を調達可能となり、戦争に踏み込んでも陣営で充足が可能となる比率が高くなるからだ。それで戦争発動を行っても陣営内から支援を受けることが可能となる。

　かつて日英同盟が日露戦争を、日独伊三国同盟がアジア太平洋戦争を招き込んでしまった歴史の教訓を想起すべきだ。同盟など多国間関係を強化するほど、戦争発動に直結していくことになりかねない。同盟化が戦争への敷居を低くすることは歴史が教えていることだ。かつての非同盟政策を追求した歴史事例を想起すべきだろう。そう考えると、二〇二一年九月二一日、バイデン大統領は国連演説で「競争から紛争へと発展させない。新冷戦や世界を二つのブロックに分けることを望んでいない」と強調したが、現実には二つのブロックが競争から紛争へと発展する可能性が高まっているといえよう。

変容するアメリカの軍事戦略

「クアッド」や「オーカス」は、要するにアメリカの友好国をも巻き込んで中国に圧力をかけるための多国間軍事同盟に近い内容だ。それは中国が主導する「上海機構」と異なって、極めて軍事色が強い。それでは、アメリカの「インド太平洋戦略」とは、如何なる意図と内容を持つものだろうか。

それを知る上では、二〇一九年六月に公表された「国防総省 インド太平洋戦略」(Department Defense Indo-Pacific Strategy Report) が参考となる。そこには、中国とロシア、それに北朝鮮への厳しい姿勢が貫かれている。中国は世界秩序を変えようとする「修正主義勢力」であり、ロシアは「甦《よみがえ》った悪者」、朝鮮は「ならず者」と明記された。

要するに、この三国への敵愾心を隠そうとしない。公文書において、これだけの乱暴な用語を使ってまで批判の姿勢を見せるのは、今に始まったことではないにせよ、ライバルの確定によって陣営内の各国に覚悟を迫っているようにも受け取れる。カール・シュミットの『政治的なものの概念』ではないが、〝敵か味方か〟を厳密に峻別して見せる政治手法がここにある。それは、戦前日本がアメリカやイギリスに向けて放った「鬼畜米英」のスローガンにも酷似する。

実は「インド太平洋戦略」には、二〇一八年二月に作成された秘密文書である「インド太平洋戦略の枠組み」(U.S. Stratregic Framework for Indo-Pacific) の存在があり、トランプ政権最末期の二〇二一年一月に機密指定が解除され、以上の内容がバイデン政権に受け継がれているのである。

孤立主義を標榜していたはずのトランプ前大統領は在任中に、現行のアメリカのインド太平洋戦略を練り上げていたことになる。その意味では、アメリカは共和党政権であれ、民主党政権であれ、同一の戦略体系のなかで政策の打ち出しを行っていたと言える。アメリカは第二次世界大戦以後、一貫してアジア地域への関与を続け、そこにおける覇権主義は不変なのである。

さらにアメリカの軍事戦略の変容ぶりを追おう。アメリカの軍事力の核となるのは、文字通り核戦力とミサイルだ。それで、アメリカはトランプ前政権時代から核戦略とミサイル防衛の見直しを進めている。その点で先ず取り上げるべきは、二〇一八年二月に公表された「核態勢見直し」(Nuclear Posture Review)である。そこでは、相手方が通常戦力、つまり非核攻撃への対応に核で報復することを排除しないと、断言している。核戦力使用という場合、通例では核攻撃に対して核で報復するという、言わば対称性が前提だった。しかし、通常戦力に核戦力を投入するという意味での非対称使用を辞さないとしたのである。

それは、核使用の敷居が途端に低くなることを意味する。それゆえ、アメリカでは、低出力の核弾頭などの開発を表明し、全面核戦争に繋がるような大型核兵器ではなく、使い勝手の良い小型核兵器を開発する方向を鮮明にしている。この方針により二〇二〇年二月から、広島原爆よりも低出力の核弾頭が潜水艦発射弾道ミサイルに搭載されて実戦配備中だ。

しかし、現在では事情が異なる。ロシア・中国などアメリカと軍事的対峙を続ける両国は、強力な核兵器を保有しており、核による反撃が充分に想定される。同時に両国は通常戦力のレベルでも、一九五〇、六〇年代と比較にならないほど向上している。

それでも敢えてアメリカが通常戦力にも核戦力で対応する準備を進めている意味は二つある。一つには、核兵器の小型化・高度化のレベルで中国・ロシアを圧倒しているという現実、二つには、総合的軍事力で依然としてアメリカが一等地を抜くレベルを保持している、という自信である。勿論、そこにはアメリカの両国への恫喝の意味も含まれていよう。

アメリカがここにきて、核戦争をも厭《いと》わない姿勢を打ち出したことの意味は極めて重要だ。つまり、通常戦力（非核戦力）と核戦力との線引きを取っ払って、核戦力を戦力の中核に据え続ける意図と政策を宣言したことになる。因みに、ロシアのプーチン大統領は、今回のウクライナ侵攻にあたり、アメリカに倣ったのか、ロシアが核大国であることを威嚇として公言するに及んだ。

ところが、四年に一度の割合で見直される「核戦略の見直し」は、二〇二二年に最新版が公表されることになるが、バイデン政権は核戦略の新たな見直しに入っていると報道されている。それは核兵器を相手より先に使用しない、いわゆる「核先制不使用」構想である。その理由として、核兵器製造や維持管理コストの削減がある。まだ最終決定ではないが、このバイデン政権の姿勢に岸田政権は反対の意向のようだ。日本だけでなく韓国など含めたアメリカの同盟国は、アメリカの「核の傘」に入ることで自国内に根強い核兵器保有論を抑え、中国やロシアなど核大国と対峙することが安全保障にとって合理的だと判断しているのだ。

核の先制不使用は、核保有国が一斉に踏み切ってこそ有効だとする見解が有力である。しかし、核兵器が持つ攻撃核、報復核、抑止核の三つの役割のうち、先ずは攻撃核としての意味を軽減することは核兵器削減の第一歩とも成り得る。また、この先制不使用は広義には、一方的軍縮にも繋がる要素をも孕んでいるのではないか。依然として核禁止条約を批准しようとしない日本政府は、この機会に核の傘論に固執することなく、少なくともバイデン政権が構想する核先制不使用論を支持すべきであろう。

この問題について、二〇二一年一二月一四日開催の衆議院予算委員会の場で、立憲民主党の岡田克也議員（元外相）が岸田首相に対して、バイデン政権の「核先制不使用」に賛意を示すように迫った。答弁に立った岸田首相も林外相も後ろ向きの答弁に終始したのは残念だった。最も質問者の岡田議員にしても、日本の「核の傘」に入るのは合理的な判断と言わんばかりの発言があったのも説得力を欠く感じだ。核兵器廃絶を唱える一方で、言うところの中国やロシアの核の脅威にアメリカの核による対抗する姿勢である。これまた自己撞着も甚だしい。

高度化するミサイル・システム

さて、アメリカの戦力のもう一つの中心がミサイルであることは間違いない。現在、アメリカのミサイル装備と競争するのようにロシアと中国も新しいミサイルの開発と配備に余念がない。最近特に注目されているのは、極超音速で飛翔するミサイルだ。この分野に力を入れているロシアでは、アバンガルド（Avangard）と命名された極超音速滑空体が知られている。それは通常弾頭または核弾頭の搭載が可能である。別名でオブイェークト四二〇二（Objekt 4202）とか、Ｙｕ‐71またはＹｕ‐74とも呼ばれる。

アバンガルドは、二〇一八年三月に正式発表されたものでＲＳ‐28などの大陸間弾道弾（ＩＣＢＭ）に搭載して発射される。発射後、マッハ二〇の極超音速飛行を行う。プーチンン・ロシア大統領が、アバンガルドに既存の防衛システムは無力であると胸を張っているミサイル兵器だ。さらに、ロシアの短距離弾道ミサイル（ＳＲＢＭ）

中国建国記念日の軍事パレードに登場したDF17
出典）中国人民解放軍

のイスカンデル（Iskander）は、頂点高度に達した後、下降する途中、運動方向が再び上向きに跳ね上がるプルアップ起動方式を採用しており、いわゆる変則軌道ミサイルとして迎撃がさらに困難とされている。

中国も負けていない。二〇一九年一〇月一日、中国の建国記念日（国慶節）にDF‐17（東風‐17）と命名された極超音速滑空ミサイルを軍事パレードの場で公開した（前頁の写真参照）。このミサイルは弾道ミサイルDF‐16（東風‐16）をベースにして開発された二段式ミサイルで、弾頭部分が極超音速滑空体（HGV）となっている。

こうしたロシアと中国の新型ミサイルに対抗するため、アメリカは二〇二一年三月一九日、極超音速滑空体の飛行試験に成功したと発表。これが米陸軍と米海軍が共同で開発している共通極超音速滑空体C‐HGBだ。陸軍の長距離極超音速兵器（LRHW＝Long Range Hypersonic Weapon）と海軍のCPGS（Conventional Prompt Global Strike system）に搭載される予定の弾頭部分となる。要するにLRHWやのCPGSと言う弾道ミサイルの頭部に搭載されるのがC‐HGBとなる。LRHWの飛翔距離は二七七五kmとされ、日本の九州方面に展開配備されれば中国大陸奥地までが射程圏内とされる。

アメリカは中国との戦争では核兵器を用いない地域紛争レベルの通常戦争を想定しており、想定戦場は尖閣諸島（魚釣諸島）、台湾、南沙諸島及び西沙諸島の周辺海域だ。それで中国大陸に地上侵攻する可能性は低い。新しい中距離ミサイルは、想定される戦場に飛んで来る中国軍の戦闘機の運用を妨害し、同時に航空基地の破壊が目的と言える。

従って常識的に言えば、中距離ミサイルであるLRHWは、九州南部から琉球列島沿いに引かれた第一列島線に配備されていく可能性がある（四三頁の第一・二列島線の図参照）。再装填や再発射が比較的容易である地上発射が合理的である以上、現在、自衛隊基地が南西諸島に設営されている状況から、近い将来、同じ場所にアメリカのＬＲＨＷが持ち込まれる可能性は否定できない。言うならば、自衛隊はその先鞭をつけるべく展開し、近い将来において日米のミサイル部隊が共同して対中国を正面に据え、猛烈なミサイル攻撃を仕掛ける態勢を整えつつあると思われる。

このように捉えるには理由がある。アメリカのインド太平洋軍（ＵＳＩＮＤＯＰＡＣＯＭ）が、二〇二一年三月一日にアメリカ連邦議会に提出した要望書には「第一列島線の長距離兵器で武装した地上部隊は……」との件が明記されているからである。「長距離兵器」とは長距離極超音速兵器（ＬＲＨＷ）を指すことは誰の眼にも明らかだ。

こうした新たなミサイル・システムをめぐり米中ロ間で激しい軍事技術開発競争が展開されるなか、二〇一九年一月、アメリカ国防総省は「ミサイル防衛見直し」（Missile Defense Review）を公表した。ここでロシアと中国の極超音速滑空体への対応が検討されている。日本でもマッハ一〇に達する超音速ミサイルを迎撃するための次世代の兵器開発に余念がない。

例えば、防衛省は二〇二二年度防衛予算に六五億円を計上し、レールガン（電磁砲）の開発を本格着手する。其の他にも素粒子や音波《おんぱ》などのエネルギーを利用した指向性エネルギー兵器（ＤＥＷ＝directed-energy weapon）などが、何れも各国で水面下で研究開発中と思われる。これら次世代の兵器類は、装薬も使わず、弾丸やミサイルなどの物体も放出しないで敵ミサイルを破壊する。

完成までに多くの技術が必要だが、ミサイルなどと比較して安価な兵器で操作性も簡便とされる。当面は極超音速ミサイルが主流となろうが、同時並行的にこうした兵器開発が進められるだろう。文字通り、歯止めなき軍拡が熾烈化しているのである。こうした動きを正確に察知し、軍拡の連鎖を断ち切るための軍縮要求の展開が益々必要だ。

変わりゆくアメリカの作戦計画と自衛隊

アメリカ軍の戦力投入方針の変容に連動して、アメリカ四軍の編成自体にも新たな改編が試みられる。例えば、二〇一九年二月に公表された海軍と海兵隊が「遠征前進基地作戦計画」（ＥＡＢＯ＝Expeditionary Advanced Base Operations）に署名・公表した。それは局地戦に柔軟対応可能な戦力配置計画を策定したものだ。従来では戦場域も戦力投射の方針には、それぞれ独自性が担保されていたが、この二軍の統合的運用を図ろうとする目的である。勿論、海軍と海兵隊は相互協同して戦場域に投入され、統一指揮の下に作戦に従事してきた。しかし、海上戦力の投射地域は必ずしも明確化されておらず、言わば紛争の内実に適合する形で柔軟に対応してきた。

中国とロシアを対象とした作戦展開に絞り込む方向性のなかで、戦力投射地域が事前に確定されてきた現状を踏まえて、両軍の一体性を一層強化しようというものだ。それに加えて自衛隊が西日本一体にシフトしてきており、自衛隊との連携も視野に入れて、これらアメリカの海軍及び海兵隊と自衛隊とが一体の関係性を明確にする必要に迫られていることだ。

それではアメリカ軍は一体どのような戦争の仕方を考えているのだろうか。長らくアメリカ軍は、非常に良く知られていた「統合エアシーバトル作戦構想」（joint air sea battle concept）を練っていた。それは簡単に言えば、例えば中国のミサイルの射程外から報復攻撃を空軍戦力と海軍戦力を一体化させて作戦展開するものである。この作戦構想が効果を発揮するためには、制海権と制空権の確保が条件である。

ところが近年における特に中国の海上戦力と航空戦力の強化の結果、この作戦構想では相当の出血を覚悟しなければならない、と予測されるに至った。そこで国防総省は従来の「統合エアシーバトル作戦構想」

の見直しを進めていたようだ。

その一つとされるのが国防総省の委託機関である国防戦略予算評価センター（CSBA＝Center for Strategic and Budgetary Assessments）に依頼作成した対中国作戦構想としての「海洋プレッシャー作戦」である。レポートの正式タイトルは、「鎖の強化――西太平洋における海上プレッシャー戦略の展開」（Tightening the Chain: Implementing a Strategy of Maritime Pressure in the Western Pacific）で、「インサイド・アウト作戦」を基調とする。

要するに中国に対しては、従来の近接作戦に代わり、四三頁の図で示したように第一列島線（First Island Chain）と第二列島線（Second Island Chain）の〝二本の鎖〟（Chain）で封じ込めようとするもの。第一列島線には各種ミサイル部隊を地上に配備して中国を牽制・攻撃し、第二列島線周辺基地から発進する海上・航空戦力がこれを補完すると言う。そこで第一列島線を拠点とする部隊をインサイド部隊、第二列島線周辺で展開する部隊をアウトサイド部隊とする。この二本の鎖で文字通り中国を縛り上げようとするものだ。

ここで問題となるのは、いわゆる「インサイド・アウト作戦」では、海上拒否作戦、航空拒否作戦、情報拒否作戦、陸上攻撃作戦と四つの作戦から構成されるとされていることだ。第一列島線は中国の海上・航空戦力の阻止線と位置づけられており、ここをどの部隊が中心となって展開配備に就くかである。

これらの注目点では、実は防衛省内や軍事研究者たちの間でも議論錯綜の状態だ。安全保障問題への関心が高まっているためか、ネット上でも盛んに議論が交わされている。当のアメリカでも、クリアな内容は出し切れていないか、出し惜しみしているかどちらかだ。

ただ、非常に懸念されるのは、日本の南西諸島群の上に第一列島線上が覆うように設定されていることから、現実に配備展開中の自衛隊及び自衛隊基地施設が、ここで言うインサイド部隊として想定されているのではないか、ということだ。これは誰の目からしても指摘可能な現実である。ということは南西諸島の自衛隊配備は、こうしたアメリカの対中国軍事戦略を構成する肝《きも》になっていることが分かる。そう考えると、自衛隊の南西諸島配備計画の意図が透けて見える。

軍事ジャーナリストの小西誠は、この戦略転換の意味を以下の二点に要約している。すなわち、第一に、新戦略の中心となる第一列島線上の対艦・対空ミサイル部隊（インサイド部隊）は、陸自と米海兵隊・米陸軍が、第二列島線上（アウトサイド部隊）では米海軍・米空軍が担う。第二に、結論として、南西諸島を中心とする第一列島線上に、陸自の対艦・対空ミサイル部隊とともに、米陸軍・米海兵隊の地対艦ミサイル・中距離弾道ミサイルなどを配備する――日米の南西シフト態勢（＝島嶼戦争態勢）による海洋限定戦争態勢が動き始めた、とする（小西誠『要塞化する琉球弧――怖るべきミサイル戦争の実験場！』（社会批評社、二〇一九年）。的確な分析と思われる。

その点で言えば、南西諸島に配備展開する自衛隊は、アメリカの対中国戦線の最前線に置かれることを意味する。歴史の教訓をもう一度引き合いに出せば、日英同盟が日露戦争を生起させた主因となったように、日米同盟が米中戦争の代替戦争としての〝第二次日中戦争〟の当事国となり得る可能性が飛躍的に増していることである。

その意味で付け加えておけば、沖縄本島を含め琉球弧に点在する島々と島民が戦争の最前線に置かれ、明日、戦争が起きずとも紛争・戦争の恐怖のなかでの生活を余儀なくされることだ。沖縄が再び、〝本土防衛〟と〝アメリカ防衛〟の為の盾となりつつある。現地沖縄では、このことの危機意識は頗る高い。

また、二〇二〇年三月、有事発生の場合、緊急展開部隊である米海兵隊の再編を示す「戦力デザイン二〇三〇」（Force Design 2030）が公表された。さらに、二〇二〇年一二月には米海軍が「海洋優勢」（Advantage at Sea）を公表しているが、どちらも「国家防衛戦略」の各論のような位置づけとなる。

特にここで注目されるのは、海兵隊員が一八万六三〇〇人から一七万四三〇〇人と一万二〇〇〇人の削減が実施されることである。そこでは戦車の全廃、陸上戦力の骨幹である歩兵大隊の削減などが計画されている。要するに強襲上陸部隊や内陸部隊を軽減し、即応戦力の強化、島嶼防衛と着・上陸阻止を担う沿岸戦闘部隊（MLR＝Marine Littoral Regiment）の編成が企画されている。

「戦力デザイン二〇三〇」は、要するにアメリカの第四軍となる海兵隊が従来の強襲上陸作戦や占領地奪還作戦の展開を主要な任務とせず、攻勢作戦から守勢作戦を中心とする編成に衣替えすることを意味する。実質的な作戦構想の変容を読み解くのは簡単ではないが、従来の中国のミサイルの射程外（アウトレンジ）からの攻撃ではなく、その射程内での戦闘を想定している。その場合、必然的にミサイルが着弾する可能性の高いエリアが戦場となる。

そこでアメリカ軍は、沿岸戦闘部隊だけでなく、無人航空機システム（UAS＝Unmanned Aircraft System）飛行隊やロケット砲部隊を増設するなど、犠牲を極力軽減して戦闘目的を達成する兵器や部隊の編成を進めている。

バイデン米政権発足後、二〇二一年三月三日、「暫定版国家安全保障戦略」（Interim National Security Strategy Guidance）が公表された。これを通してバイデン政権の目指すところを読み解こうと関係者は必死となった。ただ、その内容は日本の『防衛白書』とは大分内容構成が異なる。『防衛白書』は、名の通り防衛関係に特化して記述されているから、その方面は詳しいが国家全体からする防衛政策の見取り図的視点は弱い。それも縦割り行政の特徴だから仕方ないかも知れない。

日本では全てではないが、各省毎に年間白書が作成公表され、全体を見通す視点からする、いわゆる国家戦略文書は無いに等しい。ところが、この「暫定版国家安全保障戦略」は、国家安全保障の立場から、新型コロナ対策、経済回復、民主主義擁護、移民対策、同盟強化、気候変動対策、科学技術政策など、優先順位に従い全分野を網羅して書き上げられている。日本では安全保障戦略と言えば、九割以上が防衛（＝軍事）分野を対象とする分析に費やされる。

中国をライバル視するアメリカの理由

さて、「暫定版国家安全保障戦略」において、こと中国に関しては「経済・外交・軍事・技術力の複合で安定した開放的な国際秩序に挑戦する唯一の競争相手」と記述され、中国をライバルとする基調で貫かれている。アメリカ軍は西太平洋とヨーロッパに重点配備するとした。そこでは中東地域における対テロ戦争を早期に終結させ、中国包囲網の形成と台湾防衛のために戦力を移転するとした。二〇二一年八月三〇日に完了した、アフガニスタンからの米軍撤退は、この戦略方針から打ち出された。

さらに米国防総省は、二〇二一年一一月二九日、「グローバル・ポスチャー・レビュー」（GRP＝Global Posture Review、地球規模の米軍態勢見直し）を公表した。新聞報道によると、「豪州やグアムの米軍施設を強化することなどを明らかにした。インド太平洋を『優先地域』に位置づけ、中国の脅威に対抗する姿勢を改めて鮮明にした」（『朝日新聞』二〇二一年一二月一日付）ことだ。ここでの要点は、日本、韓国、オーストラリアなど地域の同盟・友好国との軍事連携を強化し、中国や北朝鮮からの攻撃や脅威に備えるのだと言う。

これは従来のアメリカ軍戦略の継続を確認したものである。ただ、現在のところ堅調とされるアメリカ経済ではあるものの、相対的にはアメリカ経済の発展には陰りが見え始めている。経済浮揚策の一環として、アメリカの国家予算は二〇二〇年度で四八五兆円に上り、当年度の国防予算は約七二兆円で国家予算の一四・八％を占めた。それが既述の如く、二〇二二年度は八八兆円に膨らんだ。毎年約一兆円の赤字を出し続けるアメリカの予算状況は、日本と同様厳しい状態が続く。

それでも国防予算の伸びは歯止めがかからない状況だが、何れ国防予算の削減は不可避となろう。それを見込んでか、穴埋めする意味でも、必然的に同盟国日本への過剰な期待と要請が今後一層打ち出されてくることは間違いない。

少しタイムラグが生じるかも知れないが、これまで世界各地に展開配備されていたアメリカ軍は、特定地域に集中配備される傾向は既に明らかだ。ここで、二〇一一年三月段階と二〇一九年九月段階におけるアメリカ軍の海外駐留兵力数の変化を順位別に記しておきたい。

＊二〇一一年九月（海外総計三三万六六四五人）

1　アフガニスタン八万二一七七人
2　日本　　四万八二三五人
3　ドイツ　　四万三三九三人
4　イラク　　二万八六七五人
5　韓国　　二万八二七一人
6　クウェート一万六八一一人
7　カタール　一万一八一二人
8　イタリア　一万〇四五一人
9　キルギス　一万〇一九四人

10 イギリス　　八六七三人

＊二〇二一年三月現在（海外総計一七万二〇〇三人）

1 日本　　五万五二九七人
2 ドイツ　　三万五一二四人
3 韓国　　二万四八七〇人
4 イタリア　一万二四五五人
5 イギリス　　九四〇二人
6 グアム　　六一二五人
7 バーレーン　三八九八人
8 スペイン　　二八六八人
9 クウェート　二二九一人
10 トルコ　　一六八三人

（国防総省ＤＭＤＣのデータから。『朝日新聞』二〇二一年七月二七日付）

概観して分かるのは、第一に日本への駐留兵力が一〇年間で七〇〇〇人余増えていること、第二に駐留兵力数が増えているのは日本だけであること、ヨーロッパの事実上の同盟国と言っても良いドイツや、アジアの文字通りの同盟国韓国の駐留兵力数も、ことごとく削減されていることだ。

この兵力数の変容は、日本が現在アメリカにとって最大最適の同盟相手国、換言すれば共同作戦を展開するに足りる国家として位置付けられていることを示している。これを日米同盟の〝深化〟の証拠だと歓迎する政府関係者や同盟支持者も数多く存在する。だが、それだけ日本の軍事的安全保障がアメリカに従属し、アメリカの政策と意図の下に、日本人の生命や安全が委ねられている現実を表しているのである。

集団的自衛権行使容認から新安保法制の制定に至るまで、日本はアメリカの軍事戦略に最適合する形を整えることに奔走してきた。その先に日本の安全保障が高められる、抑止力が向上するという名目の下に。しかし、山口県萩市と秋田市新屋《あらや》への陸上イージス・アショア設置計画が地元住民の意向を無視する形で強行されようとし、結果的にアメリカの都合で中止となった。この事実などで具現されたように、アメリカ頼みの安全保障のあり方への疑問と警戒は強まる一方だ。

要するに日本の防衛外交は、対米従属構造のなかで決定されている、と言っても決して過言ではない。外務官僚出身の孫崎享は、『戦後史の正体　1945-2012』（創元社、二〇一二年）において、その対米従属構造の起点ともなる日米合同委員会の内情を克明に活写した。また、吉田敏浩は『追跡！謎の日米合同委員会　別のかたちで継続された「占領政策」』（毎日新聞出版、二〇二一年）において、同委員会の果たす役割の原点がアメリカによる対日占領政策にあることを実証してみせた。

数多の沖縄県民の反対がありながら、強引なまでに進められる辺野古の米軍基地建設も、対米従属構造の典型事例である。また、中止とはなったが、山口県萩市むつみ地区と秋田市新屋地区に計画された陸上配イージス・アショアの建設計画も同様であった。中止に至った経緯は、実は明らかにされていないが、真相はアメリカの〝都合〟からであろう。配備断念に至った経緯について、中国四国防衛局が去る二〇二一年一二月二一日から五回にわたり萩市内などで説明会を開催した。だが、誘致に奔走した地元県会議員たちは口を閉ざしたままだ。一方、秋田市新屋では、同年一二月二三日に一回だけの説明会が開かれた。アメリカの

〝都合〟を日本政府や防衛当局は説明仕切れないのである。たとえ、それが陸上自衛隊の運用によるミサイル基地建設計画であっても、アメリカとの連携のなかで進められた計画であったからだ。アメリカの〝都合〟とは、要するにアメリカの対中国軍事戦略が状況に応じて変わっていくことである。

その対中国軍事戦略に絡み、アメリカ側の命名だが、中国の軍事戦略である「A2／AD戦略」に対抗する新たな戦略が次々に案出されている。「A2／AD戦略」のA2（Anti-Access、接近阻止）とは、日本の南西諸島の西から南への海域への接近を阻止すること、AD（Anti-Denial、領域拒否）とは、第二列島線内でのアメリカ軍等の活動を阻害し、自由な活動を許容しない陣形構築を目指すものだ。そこからアメリカ軍は、いわゆる〝航行の自由作戦〟なるスローガンの下で対抗措置を採ろうとしているのである。

しかし、中国側からすれば、中国も資源ルートであることもあり、中国の死活問題にかかわる防衛ラインと位置づけ、このルートが阻害されることを極度に警戒している。米中対立とは、この資源ルートをめぐる攻防が予断を許さないまでに緊張激化していることを指す。

3　台湾有事問題を問う

台湾有事は起きるのか

現在、ホットな話題として盛んに取り上げられているのが台湾有事の問題だ。果たして、中国が武力によって台湾を制圧し、中国の一省として、既存の方針である「一つの中国」を実現するのかどうか、をめぐる問題である。勿論、「一つの中国」へのプロセスは、武力侵攻による統一だけではなく、台湾に高度な自治権を付与して連邦国家の形式を踏む方法も排除できない。また、現在の経済交流を進めていき、緩やかな統一経済体として事実上、台湾を吸収していく可能性も有り得る。その方法は多様だが、中国の中台統一は、一九四九年の国共内戦勝利以来の悲願として位置づけられ、「一つの中国」を実現することが、中国共産党の正統性を担保するものと位置づけられている。

先にも少し触れたが、台湾では国民党政権時代から民進党政権に移行する前後において、いわゆる台湾独立派の運動や主張が活発であった。だが、近年において台湾の現在の民進党率いる蔡英文総統は現状維持を訴えているものの、赤裸々な形で台湾独立を訴えていない。原則としては、中国との平和共存はあり得ても、一方的に中国の領土の一部とされることに徹底して拒否する姿勢を維持している。

台湾にとって現状維持とは結論を先送りにしているのか、独立への道筋を懸命に模索しているのか。それとも中国との平和統一の方向性を選択しようとしているのか。この辺の将来構想は依然として定かでない。台湾でも実に多様な選択肢をめぐる論争が行われている。

こうしたなかで、論争の原点として記憶しておかなくてはならないのは、以下の事実である。

すなわち、一九七二年二月二一日のニクソン米大統領の訪中で始まった米中和解のプロセスと歩調を合わせるように、同年九月二九日に日中間で交わされた「共同声明」において、日本は「一つの中国」を承認した事実である。

そのなかで、「二　日本国政府は、中華人民共和国政府が中国の唯一の合法政府であることを承認する。三　中華人民共和国政府は、台湾が中華人民共和国の領土の不可分の一部であることを重ねて表明する。日本国政府は、この中華人民共和国政府の立場を十分理解し、尊重し、ポツダム宣言第八項（注＝日本の領土は四島並びに連合国の決定する諸小島に極限する）に基づく立場を堅持する」と明記している。つまり、日本は台湾を中国の領土であるとする「一つの中国」論を理解・尊重しているとの立場を表明した。アメリカも同様の姿勢を保持するものであった。

しかし、米ソ冷戦を経て、中国の大国化という状況のなかで、アジアにおけるアメリカの覇権に真っ向から抵触する中国の動きは、アメリカの警戒するところとなった。アメリカは既述の通り第一、第二の二本の列島線を設定することで中国包囲戦略に踏み出した。台湾が第一列島線の内側に位置していることもあり、日本の南西諸島群と同様に対中国包囲網の最前線に位置することとなった。そのため台湾が中国に吸収統一されることは、アメリカの軍事戦略の破綻を意味するところなったのである。

その結果、中国・米国とも台湾周辺での軍事訓練・威嚇行為を激化することになった。中国が渡洋作戦を展開し、台湾を武力統一して米中戦争が起こることに、双方で自制が働く可能性は大と見積もられるものの、日米同盟を背景とする対中国恫喝外交や姿勢が続けば、局地紛争が生起する確率は高くなる。

ただ現実的に米中対立が米中軍事衝突、さらには全面戦争なってしまうのは回避するはずだ。衝突すれば経済・技術・人的交流の断絶は不可避であり、取り分け中国はアメリカの国債を大量に所持している。国際投資家は相互に投資（中国は香港をも含めるとアメリカ国債保有世界一で約一兆三〇〇〇億ドル余り）しており、戦争にはデメリットが多過ぎる。それにも拘わらず、同じ海域と空域で軍同士が対峙した状態が続けば、小規模・限定的な武力衝突はいつでも偶発的に起こり得る。これを如何にして防ぐかが、米中双方にとって必要である。

台湾有事問題と日本

台湾有事問題に関連して、日本政府は如何なる構えを採ろうとしているのか。二〇二一年四月二一日、衆議院外交委員会で岸信夫防衛相は、「安保法制の適用を検討している」と答弁。安保法制の適用と言うことは、自衛隊が出動してアメリカ軍と共に戦うということを意味している。つまり、台湾有事が起これば、自衛隊も参戦することもあり得ることを仄《ほの》めかしたのである。

自衛隊が台湾有事＝軍事紛争に巻き込まれる事態は、リアリティを持って捉えるべき段階に入っている。自衛隊が戦争に巻き込まれるケースとしては、以下の事態が想起される。

第一に、中国進攻の出撃基地あるいは攻撃基地となった在日米軍基地が攻撃された場合、日本国土に対する攻撃なので、「武力攻撃事態」で自衛隊は自動的に国土防衛のため戦うことになる。いわゆる「自動参戦」である。二〇一五年に制定された新安保法制は、この「自動参戦」状態に日本を追い込む有事法制という点で、数多の反対運動が起きた経緯がある。

第二に、台湾海峡で米中衝突があれば「存立危機事態」で、自衛隊は米軍とともに戦うこととなる。これもまた安保法制により決定づけられた戦争への道である。

第三に、実はこれが可能性としては一番高いのだが、アメリカが「台湾有事」に介入した場合、日米関係上からして、日本は「重要影響事態」に追い込まれ、その結果として、自衛隊はアメリカ軍の後方支援することを余儀なくされる仕組みが既に出来上がっていることだ。米軍の出撃基地が在日米軍基地である以上、「台湾有事」が日本に波及しない、などということはあり得ないのである。

問題はここからだ。中台関係が拗《こじ》れ、中国側から武力侵攻が開始されるとの仮定が容易に出来るほど、中台関係を左右する米中関係が険悪化しているとしても、中国は武力侵攻に踏み切ることのメリットとデメリットを如何に算定するだろうか。確かに近年の中国の海・空軍力は増強は著しく、相手が台湾国防軍とだけなら軍事的勝利は現時点で極めて高いと言える。

だが、どこまでコミットするか定かでないにしても、アメリカ軍が動き、その前後に自衛隊も動くとなれば、流石の中国軍も逡巡することは間違いない。軍事能力の差異だけで発動される紛争や戦争ではなくなっている現段階としてでもある。国際社会における中国の地位を低下させ、場合によっては孤立を余儀なくされ、併せて〝資源小国〟中国が、石油や小麦などの食料資源を含めて途絶の憂き目に遭遇した場合、中国人民に塗炭の苦しみを与えかねない。そうすると中国共産党の正統性への疑念と不満が生じる可能性は大と見ざるを得ない。

たとえ軍事的に一時的に勝利を得たとしても、政治的経済的には敗北しかねない、と言うことである。そのリスクを背負ってまで中国が武力侵攻するとは、到底考えられない。中国が強硬な姿勢を見せるのは、台湾統一を国是として掲げているからである。それと中国に拡がっている〝中国ナショナリズム〟と言ったものが勢いを増しており、中国人特有の大国意識の高揚を押さえ切れない側面も否定し難い。

実は、台湾有事は今後繰り返し口にされようが、中国もアメリカも紛争に持ち込むのはデメリットが大き過ぎる。従って、多少の小競り合いも想定内としつつ、軍事的緊張状態を持続しながら、米中関係と中台関係は推移するはずだ。その間に日本は台湾有事、米中対立の口上に翻弄されながら、アメリカ軍の代替軍としての役割を担わされていく危険性が大きい。

そこで重要なのは、日本が中国、台湾に対して日米同盟の枠組みから外れても独自の外交ルートを再構築しつつ、中台関係の緩和化に尽力することであろう。繰り返すが、中台・米中・中日の相互経済関係の深さからして、軍事衝突のメリットは皆無に等しい。そうした背景に安住することなく、日本は率先して三国間和解協定的な外交交渉を提示していくことが、日本の安全保障にも資することは間違いのである。

そしてもう一つ踏まえて置くべきは、アメリカの台湾政策である。知られているようにアメリカは、一九七九年に台湾政府との間に「台湾関係法」（ＴＲＡ＝ Taiwan Relations Act）を交わしている。それは台湾への軍事援助は継続するものの、如何なる国家が台湾攻撃をなした場合でもアメリカ軍が参戦して台湾防衛の義務を負う、などとは確約していないことだ。介入する権利は留保するが防衛義務はない、とする解釈が可能である。つまり、アメリカは姿勢をクリアにしていない。いわゆる曖昧戦略を保守しているのである。

因みに「台湾関係法」の第二条B項には、「(3)　合衆国の中華人民共和国との外交関係樹立の決定は、台湾の将来が平和的手段によって決定されるとの期待にもとづくものであることを明確に表明する。(4)　平和手段以外によって台湾の将来を決定しようとする試みは、ボイコット、封鎖を含むいかなるものであれ、西太平洋地域の平和と安全に対する脅威であり、合衆国の重大関心事と考える」とある。

つまり、「台湾の将来が平和的手段によって決定されるとの期待にもとづくものであることを明確に表明する」（傍点引用者）とあり、さらに「ボイコット、封鎖を含むいかなるものであれ、西太平洋地域の平和と安全に対する脅威であり、合衆国の重大関心事と考える」とされている。

アメリカは台湾の未来には重大な関心を抱き、兵器輸出こそ厭《いと》わないが、台湾防衛のための軍事支援までには言及していないのである。勿論、平和的手段による統一を暗に期待しつつ、武力行使を厳に戒めているとの解釈が妥当であろう。同法は米台関係を論ずる上での基本だが、そこには中台統一自体を否定するものではない、との基本方針も透けて見えるのである。

やや繰り返しになるが、統一か独立かの「台湾の将来」は、あくまで「平和的手段によって決定」されるとの意味は、米中国交回復時において、「一つの中国」を認めたアメリカは、平和的手段による統一を事実上容認していたと解するのが妥当であろう。ただ最近、米中対立の深層を鋭く説いてみせた佐橋亮の『米中対立――アメリカの戦略転換と分断される世界』（中央公論新社・中公新書、二〇二一年）は、中国にはやや厳しい書きぶりだが、最近における中国の台湾への顕在化する攻勢と、台湾の自立と統一の間で揺れる現実を見事に活写してみせる。

中台関係の先行きは、台湾国民が主体的に結論だすべき問題であることは言うまでもない。それを第三者がどちらかの方向に慫慂《しょうよう》することは慎むべきであり、私たちが出来ることは、中台両国が平和的な交渉を可能とする環境設定への助力でしかない。それにつけてもアメリカや日本が過剰なまでに台湾問題に介入する姿勢は、不安定化に拍車をかけるだけではないか。

例えば、二〇二一年一二月一日、安倍晋三元首相が台湾の民間シンクタンク機関が開催した講演会にオンラインで講演し、「台湾有事は日本有事であり、日米同盟の有事でもある」と発言した。安倍元首相が「台湾関係法」を知らなかった訳ではなかろう。アメリカの台湾政策の基本を全く無視した発言に、当事者であるアメリカも当惑の色を隠せないところであったと言う。私の台湾の知人である研究者や友人たちは、この安倍発言に一様に非常な嫌悪感を抱いたと言う。台湾有事と日本有事を重ねることの背景に、過剰な台湾干渉の意図を感じ取ったのであろう。むしろ米中対立や日中対立の火の粉が台湾に降りかかる可能性に警戒的なのである。

しかし、自民党内の反中国派の議員のなかには、この安倍発言を何ら問題なしとし、むしろ一議員の立場から当然の判断を述べただけとする見解を吐露する者も少なからずいる。安倍発言を中国への抑止や牽制だと評価する向きもあると聞く。本当に台湾のことを思ってのことなのか、ただ日本防衛のための防壁とでも台湾を位置づけているのではないか、との猜疑心さえ抱いてしまう。

「台湾関係法」をどう読み込んでも、台湾有事と日米同盟とは関係ない。安倍元首相の頭には集団的自衛権行使や新安保法制により、アメリカが攻撃を受けることを前提にしての発言かも知れない。そのような極めて短絡的かつ冒険的な見解を表明することは、敢えてする危険な言動と言わざるを得ず、外交上の配慮を欠いた発言でもある。外務省や防衛省の幹部連にも、安倍発言に眉を顰《ひそ》める人たちが居よう。

しかし、日本のメディアに限らず、多くの国会議員や世論は、アメリカは中国と対立しているので、台湾防衛に乗り出すはずだと思い込んでいる節がある。安倍発言には、中国も激しく反発した。米中以上に日中間に軋轢を一段と増す結果となったことは言うまでもない。現役首相ではなくなったとしても、依然として自民党内に強い影響力を持つされる安倍元首相の発言は今後も尾を引きそうだ。

いまや自民党内及び野党の一部、そしてメディア等含め、中国批判を声高に主張してみせるのが、一つのトレンドになってしまっている。日中国交回復時に中国との蜜月を大らかに繰り返していたのと真逆の現象が暫く続きそうだ。そこでは冷静かつ客観的な分析により、戦争への道を回避し、困難を解決して未来への展望を語ろうとする知恵も意欲も消え失せているかのようだ。

そこには日中共同声明の内容が完全に忘却されているばかりか、国交回復から友好と蜜月の時代を経て、軋轢と不信の関係に陥った経緯への真摯な見直しの姿勢が欠落している。その原因を日中双方が検証することを通じて、もう一度共同声明の内容を再読すべきであろう。

アメリカの軍事戦略を拒否する動き

台湾有事問題に入り込んでしまったが、ここでもう一度アメリカの軍事戦略の問題に戻って本講を閉じよう。特に、アメリカの軍事戦略に異議を唱える動きについてである。

楽観主義に陥ることは現に慎むべきだが、アメリカの覇権主義に異議を唱える国々も存在する。その象徴事例として知られているのは、二〇一九年六月、東南アジア諸国連合（ＡＳＥＡＮ＝Association of Southeast Asian Nations）が採択した「インド太平洋アウトルック」(Outlook on the Indo-Pacific) である。ＡＳＥＡＮは、アメリカの中国包囲網参加要請に事実上拒否の回答を寄せ、「誠実な仲介者として対話と協力のインド太平洋地域を創出する」と宣言した。そして、大切なのはアメリカ、日本、中国を含めた「東アジア首脳会議」(East Asia Summit)が重要だと指摘したのである。

ASEANは、一九六七年の「バンコク宣言」を契機に設立され、当初はインドネシア、マレーシア、タイ、フィリピン、シンガポールの五カ国で発足し、現在ではブルネイ、ベトナム、カンボジア、ラオス、ミャンマーの計一〇カ国から構成されている。これらの諸国は経済成長率が高く、インドネシアとベトナムなど、二一世紀の中頃には日本に匹敵するかそれ以上の経済大国となることが予測されている国家も含まれる。その意味で優れた連合体である。

何れの国も中国やアメリカ、さらには日本との強力な経済関係を保っており、日本の企業も果敢に進出している未来投資を含めた潜在能力の高い国々だ。そのASEANがアメリカの要請を拒否するのは、中国との関係の深さもさることながら、より本質的な部分ではカンボジア戦争、ベトナム戦争、それにインドネシア、フィリピン、タイ、ビルマ(現在、ミャンマー)など相次ぐクーデターを体験し、経済発展の機会を逸してきた歴史があるからである。

全体として発展途上国とカテゴライズされるASEAN諸国にとって、最も忌避すべきは紛争や戦争なのである。その可能性をもつ対中国包囲網に与することは国内世論が許さないのである。

アメリカも中国もASEANを抱き込もうと懸命に外交戦を展開はしているが、それは到底叶わぬ試みとなろう。問題はそうした姿勢を日本がどのように前向きに評価するかだ。経済的に米中との関係は保持しつつも、外交防衛など政治領域においては自立の途を追求する姿勢から何を学び取るかである。

日本国内でもアジア諸国民との交流を深め、米中の覇権主義と一定の距離を採ろうとする組織や人たちも数多いる。その代表事例が沖縄である。

例えば、沖縄県知事の諮問機関である「第四回　米軍基地問題に関する万国津梁《しんりょう》会議」（二〇二〇年三月二六日開催）の提言「新たな安全保障環境下における沖縄の基地負担軽減に向けて」には、「中国は米国の攻撃部隊が展開する以前に前線拠点である沖縄などを攻撃することになる。沖縄などの前線拠点が中国のミサイル攻撃に対して脆弱である現実は変わらない」（同提言書、一六頁）とした。そこでは米中戦争に至った場合、現在のアメリカ軍基地の存在、さらには自衛隊の南西諸島地域における展開が沖縄の犠牲を予測するに十分である現実への深刻な危機意識を語っているのである。

これらの提言に込められた思いとは、アジアは地域であると同時に、一個の政治的共同体の形成を希求する人間共同体であること、そして何よりも既存の国家から解放され、自由な主体が尊重され、それを共同体の基本原理とする空間である、とするものだ。未来の社会を見据えた優れた認識だ。

そこから言えることは、アメリカのアジアでの覇権主義は、こうした自由な主体が尊重されたアジア社会の創造という平和理念を危うくするものであることだ。そこから大国が覇権を貫徹するために、戦争発動を想定して軍事施設を構築したり、平和な市民社会を戦争の恐怖に追い込んだりすることに、繰り返し異議を唱えていくことが益々大切となってきている。

【課題と提言：安保問題】

第二講　あらためて新安保法制の違憲性を問う

～戦争への敷居を低くする危うさ～

はじめに――「山口新安保法制違憲訴訟」の原告として

戦後の国体とも言われてきた日米安保体制が、さらに強化されることになった。二〇一五年九月一九日、強行採決によって成立した、いわゆる新安保法制によってである。それは従来の日米関係及び日米安保体制を大きく変質させた。日本防衛を目的とする従来の日米安保は、この法律によって日本以外の軍事紛争にも、これにアメリカが何らかの形で関わっている場合、事実上の参戦を強《し》いられるものとなったのだ。〝戦争法〟とか〝自動参戦法〟と称するのも決して過剰な表現ではない。

かつての日独伊三国軍事同盟の締結（一九四〇年）をめぐり賛否両論が帝国議会の場において激しく議論された。要するにドイツが日本と友好関係を保持している国と戦端を開いた場合、日本は参戦を余儀なくされる内容だった。いわゆる、自動参戦論をめぐり議論が沸騰したのである。当時、日本が戦争に加担することを懸念する議論や運動が展開されたと同様に、新安保法制をめぐっては国会の内外で、それこそ国民を分断するかの議論が渦巻いた（左頁写真参照）。

だが、一端この法律が成立してしまった後、新安保法制をめぐる議論は、少なくともメディアの領域では追憶の対象になってしまったかのようだ（本講では、従来の安保法制が改編されたことを受けて実施された裁判闘争でも用いられた新安保法制という名称を引き続き用いることにする）。

その一方で地道に息長く、新安保法制を非難し続ける運動も確《しっか》りと根付いている。私も山口県在住時代には、「九月一九日」の日を忘れないために「一九日行動」を毎月続けてきた。現地の仲間たちは、それを現在でも続けている。全国でも同様の取り組みを続けている事例も少なくないと聞く。

新安保法制反対運動

出典)『シールズ選挙〈野党は共闘！〉』(緑風出版、横田一著) より

この行動だけでなく、全国各地で「新安保法制違憲訴訟」も起きている。裁判の場で判断を仰ごうとするものだ。私は「山口新安保法制違憲訴訟」の原告となり、二〇二〇年一二月四日、山口地方裁判所で学者証人と原告の立場から、新安保法制こそが日本の国民を危険に晒《さら》すものであること、日米安保の廃棄によって日本はアメリカとの従属関係を断ち切り、自立への方途を紡ぎ出すことに全力を挙げるべきことを中心に、約四〇分間の陳述の機会を得た。

それは日本の外交防衛がアメリカの軍事戦略に動員され、本来は専守防衛に徹するべき自衛隊が詰まるところアメリカに管理されている実態を検証し、平和憲法に立ち返るためにも、アメリカからの自立を訴えた四〇分だった。

同訴訟は新安保法制により平和的生存権、人格権、憲法改正決定権を侵害されたとして各原告に慰謝料一〇万円の支払いを国に請求する裁判であった。同様の裁判は全国二二の地域、合計二五カ所の地裁及び地裁支部に提訴された。原告総数は七六九九名（二〇二一年一一月一九日現在）に上る。山口では一三五名（判決時一三一名）の原告団を結成した。しかし、二〇一七年四月二六日の第一回弁論から三年余りを経た二〇二一年七月二一日、山口地裁（山口格之裁判長）は、全国で行われた同裁判に倣《なら》えの如く、原告団の請求を棄却する判決を下した（左頁写真参照）。要するに、求められた憲法判断を回避したのである。この集団訴訟は、二〇二一年一〇月現在で三つ高裁と一六の地域で判決が下されている。

本講は、新安保法制の違憲性を繰り返し訴えることを通じて、これからの日本の安全保障政策は、どうあるべきかをあらためて考えてみた。山口地裁に提出した未発表の「陳述書」をベースにし、形骸化著しい文民統制について詳述した拙著『崩れゆく文民統制――自衛隊の現段階』（緑風出版、二〇二〇年）を要約した部分をも盛り込んで書き下ろしたものである。新安保法制が成立して早くも七年目を迎える今年（二〇二二年）、この法制を実体化させる試みが着実に進められている。そうした新たな状況を踏まえつつ、いま一度新安保法制の危険な内容を検証しておきたい。そして、この新安保法制を廃案に追い込むための方途を探り出したいと思う。同法への批判と廃棄への意欲を固め、新安保法制廃案以後の日本を取り巻く安全保障の在り方を大いに議論していくべきだと思う。本書の第一講で述べた日本の外交防衛政策の危うさを指摘し、その方向に歯止めをかけることもリベラリストとして大いなる責務ではないか。

1　新安保法制法の危険性を訴える

新安保法制法は違憲

なぜ私が「我が国及び国際社会の平和及び安全の確保に資するための自衛隊法等の一部を改正する法律」

山口地裁に向かう弁護団と原告団
出典）違憲訴訟事務局提供

（以下、本訴訟で使用される新安保法制法と略す）に反対するのか、について本講であらためて述べることから始めたい。

新安保法制法によって自衛隊統制の手段としての文民統制の形骸化と並行するかのように、自衛隊の軍隊化が進んでいる。同時に、防衛省という巨大な軍事機構と自衛隊の統合幕僚監部の組織権限が強化されている。このことについて、私はこれまで新聞や運動雑誌など様々な場で、その実態を解析するとともに、その危険性に警鐘乱打してきた。本訴訟でも、あるいは全国で展開されている同様の違憲訴訟においても、原告側から繰り返し説かれているように、新安保法制法は間違いなく違憲の法律である。その理由説明は、実に数多可能である。

憲法第九条で武力行使（防衛出動）が許容されるのは、個別的自衛権の行使のみである。日本への急迫不正の侵害（直接侵略）を排除するため、他に適当な手段が不在の場合に行使される。これは自衛隊創設以来、政府が一貫して取り続けてきた基本原則である。その基本原則が、集団的自衛権行使容認により、事実上放棄された。これは憲法を改正することによってしか許されないことだ。

ここで一つ気になることに触れておきたい。

総選挙を控えた二〇二一年九月八日、「衆議院選挙における野党共通政策の提言」が全国市民連合と野党との間に取り交わされた。そのなかで、「1　憲法に基づく政治の回復」の項において、「安保法制、特定秘密保護法、共謀罪法などの法律の違憲部分を廃止し、……」（傍点引用者）の箇所である。

新安保法制には「違憲部分」と「合憲部分」の両面があると解することができる内容である。新安保法制は、丸ごと違憲の法律であると捉える私には合点がいかない。序《ついで》に言えば、「総合的な安全保障の手段」とは、一体何を意味しているかも判然としない。かつて一九八〇年代に三菱総研（ＮＩＲＡ）が使用した軍事と民事との区別を取り除き、経済問題を軍事問題に転化する用語として使われた言葉が「総合的安保」論だった。そのことを想起してしまったのは私だけではないであろう。

恐らく国家安全保障とか軍事的安全保障に代わる人間的安全保障論などが念頭に置かれたものと想像したいが、極めて危うい用語だ。同協定が戦後の憲政史において、極めて画期的な内容を含んだものであるだけに、これらの用語使いは協定成立のための苦肉の選択だとしても、少々残念でもある。ただ、この問題は取り敢えず横に置くしかない。

さて、新安保法制法なかで、自衛隊法第七六条（防衛出動）一項に新たに次の二号が加えられた。すなわち、「一　我が国に対する外部からの武力攻撃が発生した事態又は我が国に対する外部からの武力攻撃が発生する明白な危険が切迫していると認められるに至った事態　二　我が国と密接な関係にある他国に対する武力攻撃が発生し、これにより我が国の存立が脅かされ、国民の生命、自由及び幸福追求の権利が根底から覆される明白な危険がある事態」である。

既に再三指摘されているように、この二号は相互に完全に矛盾している。前者は自国防衛を目的とする個別的自衛権を指し、後者は他国との共同作戦を示す集団的自衛権を指す。そして、ここでの最大の問題は、個別的自衛権を担保するために、集団的自衛権が不可欠とする説明を行っていることだ。

個別的自衛権と集団的自衛権は、本来同次元で語ることのできる性質のものではない。それを承知で集団的自衛権を正当化するために個別的自衛権を持ち出したとすれば、国民をこれほど愚弄したものはない。その不誠実さと狡猾さに深い憤りを禁じ得ない。

日本国憲法第九条は自衛権までを放棄したものではないとして、そこで許されるのは、あくまで個別的自衛権のみである。日本の防衛は国連を中心とする集団安全保障体制の枠組みのなかで、日本の防衛を貫徹しようとするもの。他国が武力攻撃された場合、日本自衛隊が防衛出動することなど、決してありえないとされてきた。

その意味でも新安保法制法は、峻別してきた自衛権の意味を混在化させるものであり、極めて不誠実な法律である。新安保法制法は、国連の仲裁あるいは国連の集団安全保障体制の枠外において、日本自衛隊を「防衛出動」という名の作戦行動に参加させようとするものであり、極めて危険な法律である。それは戦後一貫して平和と民主主義を希求してきた数多の人びとの思いや、自衛隊を支持する人たちや世論にも悖《もと》るものである。

新安保法制法によって、日本の安全保障レベルが向上したのでは決してない。日本の外交防衛が、一段と狭い視野に追い込まれただけでもない。新安保法制法には「国民の生命、自由及び幸福追求の権利が根底から覆《くつがえ》される明白な危険がある事態」に備える、との文言があるが、正にそこに示された「明白な危険」とは他でもない、この新安保法制法から生まれるのである。
つまり、新安保法制法によって、〝国民の生命、自由及び幸福追求の権利が根底から覆される明白な危険〟が生み出されたのである。安倍政権及び政府の認識と、私たち原告団の認識との乖離は、あまりにも明白である。どうして、このような真逆の認識が生まれてしまったのだろうか。

平和を壊す新安保法制法

新安保法制法が「明白な危険」を呼び込むとする理由に触れる。ここで何よりも指摘しておきたいのは、先に紹介した自衛隊法第七六条の改編こそ、新安保法制法の正体を見抜くうえで重要な条文であることである。それは、日本国民に平和ではなく、戦争の危機へと一気に追いやるものだ。憲法を活《い》かすことで、将来にわたり徹底した平和主義と絶対非戦への道を歩もうとする思想や運動を切り裂くものである。

繰り返すが、同法こそ国民の生命を脅かし、自由及び幸福追求の権利（憲法第一三条）を奪い、これを国是とばかりに反対者を抑制する。その点から思想良心の自由（第一九条）を棄損し、戦争のない社会のなかで明朗に平和に生き暮らそうとする生存権（第二五条）にも抵触する違憲の法律である。

こうした原告側の訴えに対して、被告側の政府は、原告の言う権利侵害の具体事例を示せと言う。国家や政府を相手取った訴訟の場合、被告側が繰り返す常套句である。確かに訴訟の場合には、認定が第一の審議要件であろう。

かつて日本の戦争によって遺族となった数多の日本人に共通する感情として、「英霊」であっても「無駄死」であっても、戦闘での死亡は「戦死」であり、栄養失調での死亡は「餓死」の事実に変わりはない。自ら戦死や餓死を選択したのではない。国家や天皇の命令のなかで発動された戦争のなかでの死なのである。

こうした戦死や餓死が国内外を問わず、繰り返されないようにする政治環境を創り上げたい、とする日本人の熱い思いが戦後の日本の平和社会を築き上げてきた。それは、尊い動機であり使命でもあった。同時にその思いは、普遍的な意味における人権の問題にも通底する。平和社会の持続的発展のなかで確保される安全と安心、健康と愛情という人間にとり最も大切な思いこそ人間の権利（人権）であり、国家であれ誰であれ、これを壊すことは重大な人権侵害である。いま、政府はその人権侵害を犯そうとしているのである。

換言すれば、これほどの権利侵害が、憲法を蔑《ないがし》ろにした政府の手によって実行されたのである。それゆえに、私たち原告が政府を相手取り、権利の回復に立ち上がるのは当然の行為である。

国家（政府）と国民とは、社会契約論に従えば、国民は憲法に定められた義務を履行し、国家は国民に権利の保護を最大任務とする。国家は国民の同意によって、はじめて国家としての体裁を確保する。その相互関係を一方的かつ強制的に打ち破ったのである。そうなると国家への信頼が完全に失われてしまう。そこから派生する精神的な苦痛は、簡単に計量できるものではない。そうだとしても、国家への信頼を失った国民にとって、強権支配の下に置かれることへの恐怖と不安は、頗る大きいと言わざるを得ない。

そこから新安保法制法の施行により、憲法に保証された生存権の侵害が起き得るのである。その意味でも反憲法的な法制である。

近代における国家や政府の役割期待は、どこにあるのか。それは国家の構成員である国民の安心と安全を確保し、憲法で謳う幸福追求権や生存権を担保することである。しかし、この新安保法制法が憲法で保障された諸権利を棄損するとすれば、当然ながら国家への意義中立を繰り返すことで、国家本来の役割に立ち戻るよう国民は訴える正当な権利を保持しているはずだ。

それにも拘わらず権利侵害の認定が困難とする国家の判断は、極めて不遜な姿勢と言わざるを得ない。民主主義と平和主義を日本国家の文字通り国是とするならば、原告の訴えを聞き入れ、襟を正すべきであろう。

私たち原告は、民主主義のルールに則って憲法に従い政治が運営され、数多の戦争を通じて国内外の人びとに与えてきた歴史を教訓として、この不正なる新安保法制法を直ちに廃案にすべきだと考える。そうした原告の真摯なる思いを葬ろうとする内容が、この新安保法制法に数多孕《はら》まれている。

繰り返すが、日本国民に深刻な精神的かつ倫理的な苦痛を与え続けるものが新安保法制法である。同時に日本国憲法に掲げられた上記の諸権利が奪われようとしている。これを権利侵害と言わずして、何と表現できよう。

私の体験からこの権利侵害について、少し触れたい。

私も一人の支援者として関わったもう一つの裁判がある。大分以前のことだが、一九九二年五月四日、元従軍慰安婦たちが日本政府を相手に提訴した関釜《かんぷ》裁判（正式名称は、釜山従軍慰安婦・女子勤労挺身隊公式謝罪等請求訴訟）である。原告は河順女《ハスンニョ》、朴頭理《パクドウリ》・李順徳《リスンド》の三人の韓国人ハルモニである。山口地裁下関支部は、一九九八年四月二七日に立法不作為による国家賠償責任について、一部原告の訴えを認め、被告である日本政府に合計で原告一人に三〇万円の合計九〇万円の支払いを命じる判決を下した。

判決文のなかで、「日本国憲法制定前の帝国日本の国家行為によるものであっても、これと同一性ある国家である被告には、その法益侵害が真に重大である限り、被害者に対し、より以上の被害の増大をもたらさないよう配慮、保証すべき条理上の法的作為義務が課せられている」（「関釜裁判一審判決文　一九九八年四月二七日」、一八頁）とする内容が示された。法律用語で言う「先行法益侵害に基づくその後の法的保護義務」である。元従軍慰安婦に痛苦を与えた戦前日本国家を受け継ぐ戦後日本国家が、「先行法益侵害」への「法的保護義務」を怠ったことを厳しく諌《いさ》めた。至極当然な判決とは言え、画期的とも言える判決内容だった。

この判決内容を絡めて言えば、確かに、山口新安保法制違憲訴訟で原告が主張する権利侵害は、直接的に肉体的被害を及ぼした訳ではない。しかし、既述の如く、平和社会のなかで生きようとする真っ当な精神と思想を違憲と捉える新安保法制法が棄損しているとすれば、当然に関釜裁判において山口地裁下関支部が下した判決文中に示された「法的保護義務」が、本訴訟においても国家に課せられてしかるべきではないかと推察する。

前提としての〝脅威〟の実態は

新安保法制法制定の理由として盛んに説明された「東アジアの安全保障の変化」なる安倍元首相及び政府の説明の信憑性について、先に触れておきたい。本書の第一講で述べたように、外交上の慣例から政府が具体的な国名を挙げて指摘することはないとしても、ここでは中国や北朝鮮を日本にとり脅威の対象とみなしていることは間違いない。そもそも新安保法制法が登場してきた理由としての中国、北朝鮮、それにロシアの、いわゆる脅威対処について簡単に要約しておきたい。

特に中国の軍拡や海洋進出、北朝鮮のミサイル発射実験などを理由に、安倍首相(当時)が「東アジアの安全保障環境が変わった」と発言して以来、防衛予算の増大や専守防衛を逸脱する正面装備の充実が急ピッチである。安倍政権の下で、自衛隊は外交防衛議論が深まらない間隙を縫うように、組織と権限の拡充に奔走していたのである。その現実をどう考えるか、ということだ。

ここで、少し横道に入ることをお許し願いたい。

私が最初に中国を訪問したのは、今から三五年程前の一九八六年八月から九月にかけてのことであった。その折に二週間をかけて北京、南京、重慶、武漢、上海の各地で講演や視察の旅を続けた。北京では頤和《いわ》園に隣接する開校直後の国防大学を訪問し、副校長や中国共産党政治委員ら幹部の皆さんと懇談する機会を得た。当時中国は建国から三〇年を経て、既に核兵器を含む強大な軍事力を保有していた。その折、中国の軍事力の位置づけについても話題となった。中国側の説明では、アメリカを筆頭とする対中国包囲網が敷かれている現実を踏まえ、中国の権益と中国人民の生命・財産が再び脅かされるのを抑止するための軍事力であって、決して他国を侵略するものではないと言う。それが、中国共産党の一貫した姿勢だと強調してみせたことを記憶している。その政策方針は、それから三六年後の現在でも不変であろう。

これを何処まで信用するか、あるいはしないかは、これからの日本の安全保障を如何に考えるかの問題と直接に関わる。そこで対中政策をどうするかであるが、その判断基準こそ、日本国憲法第九条に示された日本の平和主義である。平和主義に従えば、日本は対中国外交の努力によって、軍事紛争に発展しない方途を探る必要がある。それこそ日本が世界に向けて発信した平和国家としての責務であろう。

また、中国は現在年間二二兆円前後の軍事費を投入している。アメリカが二〇二二年度で八八兆円であり、大凡三分の一強の額である。これも昨今の中国側の説明では、長大な国境と海岸線とを防衛するために不可欠な戦力充実を図るためだとする。加えて、国内軍需産業の育成発展を期する必要もあろう。既に中国では、アメリカやイギリス、フランス、ロシアと同様に、巨大な軍需企業が中国経済のリーディングセクターとなっている。ドイツの政治学者であるディーター・セングハース（Dieter Senghaas）の言う「軍拡の利益構造」（『軍事化の構造と平和』中央大学出版部、一九八六年）が、中国でも根を張ってきている。

中国の軍装備は盛んに着上陸演習や都市制圧訓練の映像を発信し続けているが、敵地上陸や長期制圧を敢行するだけの戦力投射能力は保持していない。しかも一頭地を抜くアメリカ軍、これを補完する自衛隊及び韓国国防軍などを加味すれば、それへの抵抗能力は全く不十分である。たとえ、侵略する意図があったとしても、意図を実現する能力が欠落している。

勿論、中国には日本侵略や戦争発動する意図も戦略も不在であろう。また、仮に中国が日本に向けて戦争発動を強行した場合、中国は拒否権を持っているとしても、間違いなく国連による集団安全保障体制の枠組みのなかで日本支援が行われ、中国への軍事的経済的制裁が施行されることになる。従って、台湾統一を重要な政治目標に掲げていたとしても、武力発動による統一は相当の痛手を被ることになる。

核戦争にも発展する可能性を排除できない中台紛争は、かつての二次にわたる台湾有事（一九五四年と一九五八年）や、失敗に終わったが一九五〇年代から七〇年代にかけて企画された台湾国民党政権の中国大陸奪還計画である国光計画《こっこう》（國光計畫）とは、時代状況も戦力状況も全く異なる。当時は中台両国とも戦力が拮抗状態にあった。現在の戦力比は、中国が圧倒的であり、中国には米日韓の軍事力をどのように算定しているかにも依るが、武力統一の選択を排除しない構えではある。

戦力増強著しい中国だが、だからと言って武力統一への判断に踏み切った場合、「世界の工場」と言われる世界経済でも重要な地位を得ている中国が、国際社会を敵に回して被害を受ける程度は計り知れない。そもそも武力行使することの政治的経済的メリットは、絶無なのである。まして近々の問題にも触れて言えば、コロナ・ウイルス感染問題で中国の経済力は、日本やアメリカなど大方の国家と同様に、大きな打撃を被っている。ましてや最近におけるオミクロンなる新種のコロナ・ウイルスが、再び猛威を振るう勢いの状況下ではなおさらだ。

そうした点をも加味すれば、とても戦争発動など起こし得るような環境にないことは間違いないことであろう。当面は二〇二二年二月に始まった北京オリパラで国威を発揚し、国際社会に大国としての威厳を浸透させつつ、充分な時間をかけて統一の方法と時期を慎重に判断するはずだ。

ならば、中国が軍事力強化に奔走する理由は、抑止力強化や「軍拡の利益構造」以外にも何かあるのか。その理由の一つとして考えられるのは、一九世紀初頭から二〇世紀にかけて中国が日本及び欧米諸列強による侵略を受け続けた歴史体験がある。その歴史体験を二度と繰り返したくないという、言うならば歴史の教訓あるいは歴史のトラウマが潜在しているのではないか。

中国の抑止力を高め、この歴史のトラウマを解消することが中国共産党の最大の任務となっている。その任務を果たすことで、共産党の正統性を確保できるという現実もある。そこから中国軍拡の根底に、是非は別にして、被侵略の歴史の克服という点も看過できない。

日本が戦争の惨禍を教訓に、軍備撤廃を掲げた憲法を戴くのと正反対の対応である。侵略された国家が軍拡に走り、侵略した国家が憲法に戦力不保持を謳う。しかし、どちらも平和を実現するための方法だと捉えるとき、中国の軍拡を直ちに脅威と算定することは、歴史を直視しない速断とも言い得るであろう。

そこから私は中国の軍拡を歴史のトラウマと表現する。その意味で日中歴史問題の和解も、日本の安全保障を確保する意味からも重要な課題となる。ただ、ここではこの問題に深入りしない。

もう一つ、本書の第一講でも取り上げたが、中国の軍事戦略は、現在「接近阻止・領域拒否戦略」（Anti-Access/Area Denial, A2／AD）と称する戦略を採用していることも付け加えておきたい。これはアメリカが命名したもので、中国はそれを否定していない。中国人民解放軍が公式に表明している軍事戦略も、基本的にそれと符号する。

つまり、中国は海上に九段線（U字線、牛舌線とも称する）と称する軍事防衛ラインを引き、その内側を〝内海〟とし、そこにアメリカなどの軍事力の展開を許容しない態勢を採り続けている。その〝内海〟は、中国にとって中国本土防衛のための緩衝地帯と位置づけられているのである。

問題は、この〝内海〟が中国の独占的排他的水域ではないことである。そこでこの〝内海〟を本来の公海としていくためには、アメリカ及びアメリカの同盟国である日本が、決して中国を脅威と見なすことなく、公海として、また「平和の海」とするために交流を重ねていくしかない。徒《いたずら》に軍事力により対抗しようとするのではなく、外交努力の積み重ねていくことこそ、日本人が抱く中国脅威論を解消する方途であろう。

北朝鮮をどう見るのか

北朝鮮も対米強行姿勢を貫こうとする余り、核武装大国と経済強国を同時的に進める所謂「併進路線」を採用している。それは国家戦略として決定されたものに違いないが、〝強いられた戦略〟とする側面も否定し難い。そうしなければ労働党政権が正当性を持ち得ない、という問題だ。気象変動などによる農業不振、コロナ感染問題、それに加えての経済制裁など北朝鮮をめぐる安全保障環境は極めて厳しい。それゆえに国際社会から埋没せず、制裁解除を求めての対米交渉で対等な位置に立つために、二〇二二年に入り一月一七日までの二週間で四回のミサイル発射実験で軍事プレゼンスを発揮しようとした。

そのような北朝鮮の外交政策を「瀬戸際外交」と揶揄する日本メディアだが、そうした外交政策に追い込んだ国外的な理由としての、いわゆる締め付け政策を採っている日米などの対北朝鮮政策も問題があろう。韓国の融和政策による南北交渉を進める意向を無視するかのような姿勢こそ、北朝鮮を瀬戸際に追い込むだけの愚策である。国連安保理決議に違反するとの繰り返しの説明と同時に、経済政策の非人道性への気づきが必要だ。

北朝鮮は、中国をはじめ多くの国と国交を結んでおり、辛うじて国民生活は最低限保たれてはいる。最新の情報では現在、国連加盟国一九二カ国のうち、一六六カ国と国交を結んでおり、アメリア・日本・韓

国・フランス・イスラエルなど国交を結んでいない国は少数派となっている。二〇一八年九月二七日、私は瀋陽の東北大学外国語学院での三日間の集中講義を終えて新幹線で北朝鮮と中国の国境の都市である遼寧省丹東《タントン》市に立ち寄った。そこで中国から夥《おびただ》しい物資が鴨緑江《ヤールーチアン》に架かる鉄橋である中朝有誼橋《ヨウイーチャオ》を通じて、対岸に位置する北朝鮮平安北道の新義州《シニジュシ》（신의주시）市に搬入されているのを目撃した。

但し、二〇二一年現在はコロナ禍のために搬入作業はストップしたままと言う。最近の報道では、二年ぶりに中朝の列車往来が再開される見通しとのことである（『朝日新聞』二〇二二年一月一七日付）。

北朝鮮の国民総生産（GNP）は、日本の茨城県とほぼ同程度の四兆円前後と見積もられる。そのなかで、約六〇〇〇億円程度の軍事費を投入している。つまり、GNPに占める軍事費の比率は一五％前後に達していることになる。これでは、ミサイル発射実験を繰り返す一方で、民生に回る国費が充分でないことになる。民生を圧迫する軍事費の比重の大きさが目立つ。問題は、そのような政治環境を敷かざるを得ない同国の在り様を、どう解釈していくかである。

厳しい財政状況と劣化する民生という矛盾を深める一方の北朝鮮。経済と軍事の両面で強化策を打ち出す、いわゆる「併進政策」を掲げる北朝鮮だが、それは自ずと限界があろう。経済強化に専心し、民生安定化のために、同国への経済制裁を中止することが必要であろう。

民生の安定化で成果を挙げれば、軍事強化策が緩和されるはずである。そうした事態への理解と支援が不可欠ではないか。経済制裁という恫喝や圧力ではなく、交流と支援の方途を実現していくことが求められている。朝鮮植民地の歴史の負の清算や拉致問題の解決のためにも、日本政府はアメリカ頼みではなく、自ら主体的な取り組みが急がれよう。

敢えて言うならば、北朝鮮の正面装備の質量から言って、アメリカや日本を侵攻する能力は皆無である。

日本の国民総生産は約五四〇兆円、防衛費は五兆四〇〇〇億円余に達している。アメリカのＧＮＰが二二〇〇兆円、中国のＧＮＰがその約半部の一一〇〇兆円である。その北朝鮮は日本と韓国に展開する約一〇万人のアメリカ軍と、これと共同作戦を展開する日本自衛隊と韓国国防軍に事実上包囲状態に置かれている。米韓合同軍事演習がほぼ毎年圧倒的な戦力を北朝鮮に誇示して見せる。

北朝鮮にとっては、これこそ脅威そのものなのである。その折に北朝鮮軍は臨戦態勢を敷かざるを得ず、国内軍事動員も適時実施されている。平時にあっても、北朝鮮軍はそのために工業や農業だけでなく教育や文化といった領域でも事実上の戦時対応を迫られる。農民や学生たちが動員の対象となるのである。

そのために戦争がなくとも国力や民力の消耗を強いられる状態となる。そうした国内の緊張と不安を取り除くためにも、〝国威発揚〟のデモストレーションとして弾道ミサイル発射実験が繰り返されている側面も否定できない。それゆえ北朝鮮の脅威を論ずる前に、日米韓の軍事力の存在と軍事演習が、どれほど北朝鮮の脅威となり消耗を強いているかに関心を寄せるべきではないか。

日米同盟こそ脅威ではないか

実は中国にしても北朝鮮にしても、その正面装備や練度など詳細に分析していけば、侵攻するだけの軍事能力もなければ、それ以上に侵攻しようとする政策意図や軍事戦略も不在ということである。それにも拘わらず、日本政府や数多の日本人が両国を脅威対象国とするのは、誤った情報と政治操作が背景に存在するとしか言いようがない。

ロシアも同様である。日本とロシアの懸案である北方領土問題にしても、プーチン大統領は、日米安保がある限り安心して領土返還には応じられないと主張している。それは第一講で述べた通り、国後・歯舞諸島などにアメリカや自衛隊の軍事基地が設営されれば、極東ロシア軍の脅威となることは明白なのである。日米安保の存在が、旧北方領土島民の返還要求の足枷となっている実態に気づくべきであろう。

こうした状況のなかで、新安保法制法が成立し、日本自衛隊がアメリカ軍と共同して一定の作戦行動を採る可能性が出てきたことは、何よりも中国や北朝鮮、それにロシアにとっては、大変な脅威と受け取っているはずである。

序《つい》でに言えば、山口県萩市むつみ地区と秋田県秋田市新屋《あらや》地区に配備計画が閣議決定されたイージス・アショアの弾道ミサイル発射基地が予定通りに設置されていれば、それは中国やロシア、北朝鮮にとって、更に日本からの脅威が増すことになる。同ミサイル発射基地は、北朝鮮から発射される弾道ミサイルがアメリカ軍基地のあるグアム及びハワイを攻撃する場合に備えて設置されることになったはずだ。しかし、同時に発射装置であるＭｋ41（マーク・フォーティーワン）垂直発射システム（Vertical Launching System）は、攻撃弾道ミサイルをも発射可能なのである。

つまり、弾道ミサイル迎撃基地としての側面だけでなく、むしろそれは弾道ミサイル攻撃基地ともなり得るからである。中国、北朝鮮、ロシアは、この弾道攻撃ミサイルの存在を将来における甚大な脅威と見積もっている。そのためイージス・アショア基地の建設が閣議決定された折、間髪入れずに猛烈な抗議を行ったことは記憶に新しい。

私は二〇一九年一一月二五日、秋田市での講演の機会にミサイル発射基地予定地の秋田市新屋地区所在の陸自演習場に出かけてみた。建設予定地が住宅地や病院などと至近距離の場であり驚いた。その後、この新屋地区設置予定場所は変更することが決まったとされている。しかし、同じ秋田県内の他の予定地を探すということだ。

二七年間、山口県に在住した私は、もう一つの候補となっていた萩市むつみ地区には何度も足を運んでいる。そこの自衛隊演習地内にイージス・アショア基地を建設する計画が進行していた。豊かな自然、湧水に恵まれ、酪農が盛んな静かな平和な里である。その地が脅威の発祥の地となることは、到底許すことができない。地元住民も猛烈に反対していた。ところが、二〇二〇年六月一五日、河野太郎防衛大臣（当時）は、二カ所のイージス・アショア配備計画の中止を唐突にも発表した。

しかも中国四国防衛局が萩市で中止理由の説明会を最初に開いたのは、中止発表から実に一年半後の二〇二一年一二月二一日。以後二五日までに合計で五回開催された。だが、秋田では同月二三日の一度だけであった。コロナ禍であったとは言え、遅きに失した感は否めない。また、導入計画に奔走した地元の県会議員らは口を閉ざしたままである。

地域住民の生命や健康を危険に晒す可能性大であったミサイル基地建設への政府の一連の動きは、如何にも地元住民の意向を蔑ろにした典型的な対応ぶりであった。

文民統制をめぐる問題

先ほど権利侵害の事実認定の問題に触れた。それに即して言えば、上記で示した憲法違反の問題の他にも、日本の安全や国民の安心を棄損するものとして、新安保法制法で形骸化に一段と拍車がかかる文民統制の問題がある。この問題を取り上げるのは新安保法制法が、軍事法制としての本質を色濃く内包しているからである。逆から言えば、形骸化する文民統制の問題を指摘することで、新安保法制法が反憲法的な法律であることを理解して頂きたいのである。端的に言うならば、集団的自衛権行使と新安保法制法により、アメリカ軍の一翼を担うことを事実上約束させられた日本の自衛隊は、単独で動き得る機会を失いつつあると言える。

つまり、アメリカのための自衛隊（＝〝他衛隊〟）となる可能性が出てきた、ということだ。アメリカの指揮に従い行動する自衛隊を、一体どこまで文民統制の制度によって、日本政府が統制可能かと言う問題である。文民統制を益々機能不全に追い込むものこそ、新安保法制法となる。新安保法制法が民主主義と自衛隊の共存を担保する文民統制のシステムをも浸食し、民主主義をも棄損する可能性を秘めていることを明らかにするために、先ず、近年に生じた具体事例から見ておきたい。

二〇一八年四月二日、防衛大臣が結局辞任に追い込まれた南スーダンの日報問題がある。当地に派遣された部隊の記録である日報の開示請求に当初は不在の一点張りで対応していた防衛省が、途中で所在することを明らかにした事件である。派遣部隊の業務内容を秘匿しようとした行為は、文民統制（シビリアン・コントロール）が全く機能していない現実を明らかにした事件であった。そして、同年四月一六日、統合幕僚監部の航空自衛隊三佐による参議院議員小西洋之（当時民進党）への暴言問題である。

文民統制研究を政軍関係論（Civil-Military Relations）や政軍関係史の側面から進めてきた私としては、こうした事件が起こる度に、その健康度の診断を問われてきた。そこで私は自衛隊組織に内在する隠蔽体質と、文民統制を蔑《ないがし》ろにする姿勢が、残念ながら一段と深まっている現実を指摘してきた。

例えば、二〇一五年六月一〇日、参議院本会議で可決成立した「防衛省設置法第一二条改正」により、防衛大臣の下で文官（背広組）と武官（制服組）の役割期待が事実上対等となり、制服組高級幹部の政治的発言権が大きくなった。これは一連の自衛隊制服組権限強化傾向の通過点に過ぎない。

このような事態を招いているのは、日本の将来にわたる平和安全保障戦略を打ち出せず、ただ日米同盟の深化と自衛隊の国防軍化に傾斜するばかりの当時の安倍政権の責任と言えはしないか。同時に、当時の安倍政権の姿勢を徹底的に批判する論陣を張り切れなかった野党やメディアにも問題があろう。

実はこれこそが最も議論の対象とすべきだが、前回の事例をも含めて当時の安倍政権が事態の深刻さをどれだけ痛感していたのか、という問題である。次々に起こる文民統制を脅かす事例に、自衛隊最高指揮官である首相を筆頭に政府や与党、さらには野党をも含めて一連の事件が結局は自衛隊制服組高級幹部の責任として捉えていたのであれば、それは大変な勘違いだ、ということである。

要するに、国民の知る権利が、森友・加計学園問題など、近々の不正統計問題などを含め、完全に反故にされてきた政権の責任こそ、先ずもって問われるべきではないか、ということだ。言い換えれば、自衛隊問題に限っても隠蔽体質を抱え込んだまま権限強化に奔走し、その結果、文民統制が形骸化されていく現実を防止できなかった責任である。しかし、菅政権を挟んで、現在の岸田政権下にあっても、この問題には正面から応えようとする姿勢が見られない。

自衛隊の最高指揮権者である首相、防衛行政の最高責任者である防衛大臣が、武官（制服組）を統制する能力を全く欠いていたことが明らかにされた点こそ、もっとも問われるべきである。文民統制が今日では逆に〝武官統制〟にすらなりかかっている、と懸念するのは過剰な反応だろうか。

この機会に日本の平和と安全を担保する長期の国家戦略を開かれた場で徹底して議論し、そのなかで本来あるべき自衛隊の役割期待を再定義することが求められる。同時に、文民統制という場合の文民とは、私たち自身の事であり、私たちの付託を受けた首相を筆頭とする政治家たちであることを肝に銘ずべきだろう。私たちは、軍部が独走した戦前の苦い歴史体験を、もう二度と繰り返してはならないのである。

平和を守り抜くために

戦後の私たちは憲法第九条を中心とする平和憲法を護り、活かしていくために護憲運動や活憲運動のために全力を挙げてきた。かつてベトナム戦争の折に韓国軍がベトナムの戦場に派兵を余儀なくされたのに反し、日本はアメリカからの執拗な自衛隊派遣要請がありながら、反戦平和運動と平和憲法があったがゆえに派遣を拒否することができた。韓国は延べで凡《およ》そ三二万人もの兵力をベトナムに派兵し、凡そ三七〇〇人余りの戦死者を出した。

その限りで日本の憲法は、日本のベトナム参戦を阻止する具体的な力となったのである。数多の青年自衛官の生命をも守ったとも言える。しかし、保守権力は、そのことを是とはしなかった。同盟国アメリカの要請に従い、かつての韓国と同様に参戦へのルール作りに懸命となった。その帰結が新安保法制法である。また、戦後保守権力は一貫して改憲を目指し、今度こそアメリカの派兵要請に応え得る国家へと転換を図っている。それが改憲の目論見であることは言うまでもない。恐らく総選挙を経た今年（二〇二二年）は、改憲の動きが顕在化しよう。そして、七月の参院選の結果、改憲勢力が一層勢いを増せば、その動きにも拍車がかかろう。

ところで、二〇一九年七月、日本はアメリカが主導する対イラン包囲網の一翼を担うべく「有志連合」なる連合軍への参加を求められたことがあった。最終的には「自主的」にとの形容を付けて護衛艦一隻の派遣が行われた。

自衛隊が有志連合に参加し、正真正銘の同盟軍として戦場に登場する可能性も高まっている。日本政府は国連を中心とする集団安全保障体制に積極的に関わることで日本防衛を果たそうとする姿勢から、アメリカとの同盟関係を強化する集団的安全保障体制に大きく軸足を置くことになったのである。

日本の安全保障は、国連加盟以後、一貫して国連中心外交を唱えてきたものの、実質的には二カ国間条約である日米安保条約を基本とする外交防衛体制に重きを置いてきた。日本の国連外交は従となり、アメリカとの同盟外交が主となっている。これでは、アメリカの意図する世界軍事戦略に日本が取り込まれていく結果となる。果たして、この選択によって、政府の言う安全保障環境は整備されていくのだろうか。私は真逆の結果を用意しているだけだと判断する。

一体、日本には自主的自立的な外交防衛政策を敷く意図も意欲も希薄化しているのではないか。これでは日本の安全は、本当に担保されるだろうか。ましてやその危険な方向性が、新安保法制法によって不可逆的なものとして固定化されていくようだ。新安保法制法が日本国民に提供するものは、戦争の恐怖と遠のく平和主義への不安である。

具体的な改憲案が提案されてくるまで、保守権力は事実上の解釈改憲により自衛隊も防衛省組織をも強大化・肥大化させることに成功してきた。今日、労働者・市民を中心とする反戦平和運動に加え、多様な市民運動の活発化に対応して、権力は一気呵成の改憲案ではなく、あくまで形式以上のものではないにせよ、加憲案でこうした運動圧力を巧みに回避する。そして、第九条残置案によって世論の批判を回避しつつ、事実上の改憲路線を採ろうとしている。

その改憲の意図を何よりも法理論から確認していくと同時に、近い将来においては、これまで自衛隊や防衛省の組織権限の強大化を許してきた現実を直視すべきでもある。つまり、この機会に自衛隊の存在や日米安保体制を段階的にでも解消するため、戦争放棄・戦力不保持を謳う憲法第九条厳格化の方向性のなかで、あらためて第九条強化論を提起していく議論や運動が必要ではないか、ということだ。

憲法第九条で護れてきたものと、護れなかったものを十分に吟味しながら、護憲の力を鍛えていくことが、これからの護憲運動を一層強化成熟させていくためにも不可欠である。具体的には、自衛隊組織を一部国際レスキュー部隊や海保などへの編成替え（シフト論）、日米安保条約の廃棄に向けた環境整備等、具体的提案を検討しながら、従来の安全保障論や外交防衛論の見直しを進めて行くべきであろう。

第九条に新たな反戦平和のためのエネルギーを注入する手立ては、実に沢山ある。そうした運動の成果の上に、将来においても第九条を厳格に保守し、活かしていくための運動を再構築していくべきだと思われる。そこにおいては、民主主義の下での民主と軍事の共存関係が何処まで可能なのか、そもそも実質的な軍隊、しかも攻勢的な実力を有する自衛隊をどう統制していくのかについて、ヨーロッパ諸国にも具現されるような、民間人による監視制度の創設なども検討されて然《しか》るべきであろう。

また、第九条を厳格に捉えるためには、そうした具体的な制度の創設や日米安保体制の見直しを含め、具体的な議論や政策を打ち出していく余地は実に多い。既に東アジアの安全保障環境は朝鮮半島情勢の変容を踏まえて、ダイナミックに様変わりしつつある。そうした国際情勢にも対応した日本独自の安全保障論の打ち出しのなかで、改めて文民統制の問題を捉え直したいものである。

現実の問題として、私たちが素手で、世界のトップテン内にランクされる自衛隊を統制することは不可能だ。そこでは、民主主義的な手法による事実上の軍隊の統制が理論的には可能であっても、現実には民主主義自体の制度疲労も手伝って困難を極める。しかし、私たちが自衛隊という高度専門技術職能集団である武装組織と共存していくとするならば、一体どのような統制理論と制度設計が必要なのかを再考する時に来ていることだけは確かである。

変容する東アジアの安全保障のなかで、ただ徒《いたずら》に脅威論を煽るだけでなく、脅威の実態を摑《つか》み、脅威論を煽るなかで軍事主義に走るのではなく、脅威の解消方法を紡《つむ》ぎだす時であろう。その場合、忘れてならないのが、実は自衛隊も相手方にしてみれば脅威の対象として認知されていることである。

文民統制は自衛隊統制の制度という狭い意味に留まらず、相手方に自衛隊が脅威を与えない組織であることを認知させる制度であることを知るべきである。国の内外に向けて、その文民統制が完全に機能していて、自衛隊が私たち日本国民の掌中にあることを示すことが肝要である。それゆえに、文民統制とは広義において、東アジアの安全保障環境にも深く関わる課題でもある。あらためて問わなければならない。文民統制は実際に機能しているのかと。

2　戦争放棄を棚上げする新安保法制法

自衛隊加憲論は何をめざしているのか

二〇一七年五月三日の憲法記念日、当時の安倍首相が改憲を志向する集会にビデオメッセージの形式で改憲案に自衛隊の明記を提言したことは、各方面に衝撃を与えることになった。従来から自衛隊の軍隊化＝国軍化を目指してきた安倍氏である。

しかし、現職首相が現行憲法第九条を事実上否定する自衛隊明記を公表したことは、公務員の憲法遵守義務に違反する程度のものではなかった。日本国憲法の三大原則のひとつとされる平和主義にも抵触する発言と言う意味でも深刻な問題だった。

改憲勢力は、この発言で平和主義の抜本的な見直しの機会と受け止め、歓迎する発言が相次いだ。憲法改正論の目玉として自衛隊を自衛軍、さらには国防軍などと名称を変更する案も世上を賑わせたが、基本的には憲法第九条をめぐる攻防が一貫して続いていた。そのなかで第九条の一項と二項を残置したままの自衛隊の憲法明記は、一体どのような内容であろうか。私も様々な場でその危険性について警鐘乱打してきたつもりだが、ここでも改めて整理して議論の前提として示しておきたい。

憲法第九条は、一項（戦争放棄）と二項（戦力不保持）を謳っている。今回、自衛隊を憲法に明記する、いわゆる加憲論が出て来たので、便宜的に現行の第九条を敢えて「第九条の一」としておく。これに、いわゆる「第九条の二」が加憲されるという提案がなされている（一三七頁参照）。そのことは現在、世界で第七位にランクされる実力部隊にまで強大化した自衛隊に、さらなる増強を許容しかねない。その意味で、この自衛隊合憲論は、その時点で既に歯止めを事実上外し、論理上自衛隊の規模拡大を無制限化したものと言えよう。

これまで自衛隊の拡充には様々な方法で歯止めがかけられてきた。予算編成上の観点からする抑制、世論における平和主義の思想や運動等などによってである。そのなかで最も直接的かつ制度的なレベルから自衛隊統制の役割を果たしてきたのが文民統制である。自衛隊が軍隊として戦前の如く、政治の介入を排除し、統帥《とうすい》権独立の名の下で逆に政治への介入を果たしていった歴史の教訓から導入された経緯がある。政治を凌駕する軍事の存在を正面から否定したものが現行憲法の第九条でもあった。

その文民統制を事実上骨抜きにするが如くの内容が自衛隊明記論には孕《はら》まれている。憲法レベルで自衛隊が格上げされることになれば、一個の制度とも言うべき文民による自衛隊統制が充分に機能しなくなるのだ。換言すれば、第九条による間接的な意味での自衛隊統制の意義が完全に損なわれることになるのではないか。第九条は自衛隊をも含む、あらゆる「戦力」を持たないと宣言することで、実力組織への抑止・統制を行っていると解することも出来よう。

この点に絡み、自衛隊合憲論の立場を採る、いわゆる立憲的護憲論の主張は極めて疑問とせざるを得ない。現在、朝鮮半島情勢の変容に対応して、日本が率先して自衛隊軍縮と当面は東アジア地域の非核化の音頭を採らなければならないのに、これと真逆の主張を敢えてするのは、極めて大きな矛盾と言わざるを得ない。そこから問題とすべきは、ならば第九条と自衛隊の相互関係を、一体どのように位置づけたら良いのか、ということである。今回の憲法改正に絡む最大の課題である。改憲論の最大の目的も、実にこの点にあるからだ。

つまり、強大化した自衛隊と、戦争放棄及び戦力不保持を明記する現行憲法との乖離を埋めるというのが、改憲論の狙いであることは再三指摘されている通りである。非常に単純化して言えば、解答は自衛隊明記によって自衛隊の軍隊化を容認するか、それとも明記しないで将来において、段階的であれ解体へのプロセスを設定するか、の二者択一の問題となっていく。これまでその鬩《せめ》ぎあいが繰り返されてきたが、この自衛隊明記論を起点として、文民統制の形骸化と平和主義の後退という事態を迎えるところなった。

その改憲案に今一度目を通すならば、既に集団的自衛権行使の容認と、これを法的に担保する新安保法制法において、かなり攻勢的な武力行使の要件が設定されていることが分かる。改憲案には、「我が国の平和と独立守り、国及び国民の安全を保つために必要な自衛の措置をとることを妨げず」とあり、実は新安保法制法以上に「自衛の措置」を採用する許容範囲が無制限化している。

ここでの問題は、日本の平和と独立、国家と国民の安全が棄損される可能性がある場合には、「自衛の措置」をストレートに採ることを前提にしていることだ。このことは、「九条の二」の前に置かれる第九条1項と2項の戦争放棄と戦力不保持という重要な歯止めを事実上解除することを意味している。

これは法律用語でいう「後法優先の原則」があるために、そう解釈せざるを得ないのである。もし、第九条1項と2項を活かすのであれば、「第九条の二」は、その前に持ってくるはずだが、後ろに置くことは、1項と2項を棄損することが最初から意図されている、と判断しても間違いない。実に狡猾な手法である。

それで、1項と2項を残すことで国民の第九条改憲の不安を払拭し、その向こうで事実上これを否定するに等しい「第九条の二」を入れ込むのである。ここに改憲の意図が透けて見える。ここでも多様な法理論上の解釈が飛び交っている状況だが、やはり「後法優先の原則」からして、「第九条の二」の加憲は、特に第九条1項と2項とを有名無実化する以外何物でもないのである。まさに「第九条の二」は平和憲法を、その内部から食い破るために案出されたものと言えよう。

「戦力」を憲法に記載する意味

法の創りとして「第九条の二」で明記される「自衛隊」は、明らかに九条2項が規定する「陸海空軍その他の戦力」でないことになる。繰り返すが、「後法優先の原則」からして、そう解釈できる仕組みが用意されているのだ。つまり、そこでは平和と独立、国家と国民とを守ることを理由として、自在に「必要な自衛措置」を採ることを許容しており、集団的自衛権も縦横に行使可能となる。

当時の安倍政権は、集団的自衛権行使によってアメリカ軍との共同作戦を実行しようとした。それは自衛隊の意向に合致する。そのような改憲を果たした政府に統制されることは、何ら問題ないと自衛隊側を捉えているのであろう。それが、結局は「自衛隊統制」を受け入れることを明文化する理由である。

つまり、現行の憲法ではなく、自衛隊を明記した新憲法下で統制を受けることは何等問題ないと判断しているのだ。換言すれば、現行の自衛隊を〝国軍〟と認めない憲法に従属させることは出来ない、という判断を改憲派は保持しているのである。多くの自衛官自身が、これと全く同様なスタンスでいるかどうかは別問題だが。

それでは、一体何が問題となるのかと言えば、最大の問題は第九条2項の「戦力不保持」の内容が事実上無効化されることである。無効化されるばかりでなく、平和と独立を守るとの理由で、事実上戦力として認定された自衛隊の集団的自衛権行使を理由にした自在な軍事行動を許容することになってしまう点だ。

つまり、第九条1項と2項においては、「正義と秩序を基調とする国際平和」の実現のためには戦争に訴えず、それゆえに戦力も不要とする誓いが、「第九条の二」によって事実上全面否定されているのである。法解釈上から言えば、「第九条の二」で明示されている自衛隊は、第九条2項の規定力が無効化された例外規定ということになる。その意味からすれば「九条の二」とは、文字通り例外規定そのものである。そして、ここで明白にされるのが、繰り返すまでもなく、自衛隊の国防軍化である。ここまで来て自衛隊明記論の最終目的が自衛隊の国防軍化であることに気づかざるを得ない。

それでも自衛隊が「国会での承認その他の統制に服する」と明記しており、文民統制が、事実上憲法においても謳われており、文民統制が格上げされたのではないか、とする議論も起こりえる。しかし、この「第九条の二」を額面通りに受け取る訳にはいかない。その理由は、以下二つある。

第一には、自衛隊制服組の権限の強化拡大には実際に歯止めがかからなくなっていることである。文官統制の事実上の廃止、防衛省設置法第一二条の改正による最高指揮官（首相）と直接の指揮監督を務める防衛大臣というラインの下に位置づけられる制服組と、背広組トップとの位置が対等化している現実がある。要するに、すでに制服組が防衛上（軍事上）の専門的領域においては、背広組トップの判断を否定してでも、防衛大臣や首相に意見具申可能なシステムに転換している現状がある。

第二には、戦前における大日本帝国憲法（明治憲法）の第一一条に示された「天皇は陸海軍を統帥《とうすい》す」（統帥条項）は、天皇が直接に陸・海軍を統帥（指揮）し、それゆえ戦前の軍隊が「天皇の軍隊」（皇軍《こうぐん》）とされたように、最高指揮官（首相）と現場を直接預かる制服組トップとの間に防衛大臣が入るとしても、事実上は〝首相の軍隊〟としての関係性が明瞭にされるからである。

確かに憲法第六六条二項で「内閣総理大臣その他の国務大臣は、文民でなければならない」とされ、その限り自衛隊の最高指揮官は「文民」である。その文民首相に統制すると規定することで、文民統制の堅持が明記されはしている。だが、従来内局が保持していた作戦計画策定に関する権限も統合幕僚監部に委譲するように迫っている現状から、もはや統合幕僚監部が戦前の参謀本部と海軍軍令部を合わせた強大な戦争指導機構としての役割を演じることは間違いところまで来ている。

改憲案は、実はこうした自衛隊組織の権限拡大を、そのまま憲法によって、文字通り合法化しようとするものだ。その自衛隊が、統制に完全に服していくことは考えられないのである。そして、新安保法制法は、その改憲への踏み台としての役割をも担っているものと考えられる。その意味で新安保法制の強硬採決は、憲法レベルにおける自衛隊国軍化への動きと一対の関係にあると捉えられる。

文民統制の破壊による自衛隊の軍隊化

自衛隊が近い将来、「国防軍」として正真正銘の「軍隊」と位置づけられようとしていることは間違いない。ただ、自衛隊が武装集団として機能するには、軍事的合理性から三自衛隊の「統合運用」を実現することが、この間一貫して追求されてきた。

自衛隊は現在、陸上自衛隊、海上自衛隊、航空自衛隊と〝三軍体制〟を採っている。それぞれ陸上幕僚長、海上幕僚長、航空幕僚長がそれぞれのトップとして三自衛隊を統制している。しかし、実際の戦闘の場合は三自衛隊の連携が不可欠である。従来、演習では相互連携はその場において実施されたものの、実戦に向けての仕組みという点では、一貫して「統合運用」の必要性が課題となってきた。

二〇一六年三月二七日、統合幕僚長を長とする統合幕僚監部が、それまでの統合幕僚会議に替わって発足したことは、自衛隊創設以後最大の組織改編となった。つまり、三自衛隊の垣根を越えて、作戦時における一体化が模索され始めた。戦える自衛隊への脱皮である。

当時、こうした動きを支持する立場からは、「自衛隊が『統合』に向かうことは、軍事組織として自然で合理的な現象といえる。今回の組織改編により、運用事項を統合幕僚監部に集約し、統合幕僚長に広範な権限を与えたことは、統合化に向けた動きを不可逆的な流れとするであろう」（鈴木滋「自衛隊の統合運用　統合幕僚組織の機能強化をめぐる経緯を中心に」（国立国会図書館編刊『レファレンス』第六六六号・二〇〇六年七月号、一四一頁、傍点引用者）などとする見解が盛んに示された。

「不可逆的な流れ」は、暫くの時を経て加速され、統合幕僚長の首相補佐権が一気に格上げされた。防衛省設置法第一二条の改正である。それは、統合幕僚長及び三自衛隊の各幕僚長（武官）と防衛省の内局（文官）の防衛大臣に対する補佐権が、事実上対等化することになったことで具体化された。本来の文民統制の視点から言えば、それに大きな風穴が開けられたに等しい制度改編であった。

統合幕僚長は三自衛隊に対する指揮運用権を確保しており、これを別の角度から言えば、三自衛隊の指揮運用権者である統合幕僚長が防衛大臣と並び、自衛隊の最高指揮官である首相を直接補佐する権限を獲得した状態となっているということである。単純化して言えば、それまで政治に従属する軍事が、政治と軍事とが対等化する方向性が確認されたのである。

依然として解決すべき調整事項が残っているものの、これは自衛隊内における「統合運用」が着実に実体化されつつあるということだ。しかし、首相及防衛大臣への補佐権限の強化には成功したものの、実は自衛隊内における「統合運用」が完全を期しているかというと、未だ中途半端な面をいくつか露呈もしている。

それでも、文民統制の観点からすれば、三自衛隊の指揮運用権を保持した統合幕僚長が、事実上防衛大臣と対等の補佐権を確保したということになれば、極めて重大な問題を指摘せざるを得ない。つまり、自衛隊のトップである武官が文民・文官である防衛大臣と並列の関係に位置づけられるということは、文民が武官に優越することを基本原理とした文民統制の根本を否定することになるからである。

文民統制とは、文民が武官を統制すると同時に、文民が武官に優越するという原則である。武官は文民に「従属する誇り」を抱いてこそ、この制度や原理は初めて意味を持つ。

繰り返すが、戦前においては陸・海軍を大元帥であった天皇が陸・海軍を統帥し、その天皇を直接補佐する権能が陸軍参謀総長と海軍軍令部総長に付与されていた。この陸・海の総長は帷幄《いあく》上奏制度により直接意見を具申する権能を与えられ、同時に作戦立案や部隊の運用の権限を持った。そして、二人の総長には陸・海軍大臣も、それに首相も統制不能な状態に置かれた。それが、いわゆる軍部と言われる政治集団と化し、政治統制から抜け出してアジア太平洋戦争の開戦を事実上主導していった歴史の経緯がある。

こうした点を憲法で規定された行政権と外交権との絡みで言えば、個別的自衛権の行使、換言すれば防衛行政権は内閣が保有する権利だとしても、それはあくまで国内統治作用の一種として位置付けられる。他国が侵略されているからと言って、その国を救済するために武力行使は全く想定されていない。

つまり、内閣には他国のために武力行使を行う軍事権が与えられていないのである。ところが、新安保法制法は、実にここで言う軍事権を内閣に付与するものなのである。憲法で禁止されている軍事権が内閣行政権を内閣が保有するとなれば、これは明らかに憲法第九条を全面否定するに等しい。これを違憲と言わなければ、何と解釈できようか。この点は、諄《くど》いかも知れないが何度でも指摘しておきたい。

新安保法制法は、他国ために武力行使を容認しているのであるから、この面からも明らかに憲法に抵触する。それは憲法の解釈により変更を許されない次元の問題である。それを恣意的な解釈を強行することで、政府自ら憲法違反を犯すことは、既に日本が法治国家としての体《てい》をなしていない、と言うのも決して過言ではないであろう。

安倍政権（当時）はこの規範を打ち破るために、憲法を完全に無視し、事実上武力行使の対象を一気に拡大してしまった。日本国憲法は、軍事権を認めておらず、個別的自衛権の行使によって暫定的かつ限定的に自国防衛のためにのみ、内閣行政権のひとつとしての防衛出動が許されているに過ぎない。

自衛隊は侵略に対して、国連の集団安全保障体制に従い、国連軍の救援を待つまで単独で対応する手筈となっている。自衛隊が自ら他国に如何なる理由があれ武力行使に及ぶことは、固く禁止されている。それが第九条の意味であり、数多の反論はあるが、現行憲法下で自衛隊が存続可能なギリギリの判断である。

こうした曖昧な状態に据え置かれた自衛隊の存在を、憲法レベルにおいて格上げしていくための過度的な措置として着想されたのが、この自衛隊加憲論であろう。

新安保法制法は自衛隊加憲論による、改憲が実現するまでの繋ぎ、として捉えられているかも知れない。それゆえに護憲の立場に立てば、何より改憲を阻止するためにも、この新安保法制法が違憲であり、憲法を破壊する起爆剤として位置付けられていることを指摘していかなければならない。

それでこうした危険な改憲の動きを阻むために、あらためて新安保法制の廃棄を求める運動を再構築していく必要があろう。その折に確認しておくべきは、陸自・海自・空自の三自衛隊の部隊運用について、陸幕長・海幕長・空幕長の各部隊運用に関する防衛庁長官（当時）の補佐権が、統合幕僚長に集約されることになったことである。統合幕僚長の前身である統幕議長には、三自衛隊の幕僚長に対する指揮命令権が付与されておらず、議長は三自衛隊の調停者的な役割に甘んじていた。

三自衛隊の指揮権を長の下に一元化、換言すれば「統合運用」の権能を保守することは合理的な判断であった。しかし、制服組のトップが武装集団を直接的に傘下に置くとなると、文民統制上の点からも由々しき問題となることは必定《ひつじょう》であったのである。どこが問題かと言えば、防衛省設置法第一二条の改正により統合幕僚長の首相補佐権が一気に格上げされたこと、これによって文民統制は換骨奪胎され、現在は統合幕僚長と防衛大臣の首相に対する補佐機能が対等化された、ことである。

統合幕僚長が三自衛隊に対する指揮運用権も確保しており、三自衛隊の指揮運用権者である統合幕僚長が防衛大臣と並び首相を直接補佐する権限を獲得した状態となっているということである。つまり、依然として解決すべき調整事項が残っているものの、自衛隊内における「統合運用」が、着実に実体化されつつある現状ということだ。しかし、首相への補佐権限の強化には成功したものの、実は自衛隊内における「統合運用」が完全を期しているかというと、依然として中途半端な面がいくつか露呈もしている。

現代の〝大本営〟としての「統合作戦室」創設構想

少しタイムラグが生じているためか、一連の「統合運用」化のなかで、「統合作戦室」創設構想の話題が後退気味だ。二〇一八年に話題となった「統合作戦室」とは、言うなれば現代の〝大本営〟と言える。三自衛隊の幕僚監部が集う場である。それで、自衛隊が進めている「統合運用」の一連の動きを要約しておこう。

二〇一八年三月二七日、陸上総隊が創設された。陸上総隊司令部は、統合幕僚監部、海自の自衛隊艦隊司令部、空自の航空総隊司令部、そしてアメリカ軍との間に平時から「統合運用」を進め、文字通り三自衛隊とアメリカ軍とが一体の軍として機能する体制が整備された。

これに加えて二〇一八年の秋以降には、「統合作戦室」の設置が取沙汰された。ここまでの事実経過を記せば、同年一二月七日に「防衛計画の大綱」及び次期中期防衛力整備計画（中期防）を検討するワーキンググループが、その設置を了承している。

「統合作戦室」の実体については、自衛隊ウオッチャーの多くが、「防衛大綱」で明らかにされると予測していたものだ。ところが、蓋を開けてみると、新「防衛大綱」には、その具体的名称も出ていない。これは多くの予測を覆すものであり、そこから自衛隊における統合運用の拠点である統合幕僚監部と「統合作戦室」推進派との調整が最後までつかなかったのではないか、との専らの評価がある。

あらためて「統合作戦室」設置構想を振り返っておくならば、文字通り三自衛隊部隊の指揮を一元的に統合し、自在の作戦遂行に資する役割を専門的に担うためとされる。従来、その役割を統合幕僚監部が、まさに「統合運用」という名称で引き受けてきた。それとは別組織の新設は、屋上屋を重ねるものとだとする批判も当然ながら存在もしてきた。そもそも「作戦」の名称を盛り込んだ「統合作戦室」構想を主張したのは、中谷元・元防衛大臣をはじめ、自民党国防族の面々である。恐らく、この設置構想には大きく言って二つの重大な意味があろう。

一つは、文字通り「作戦」の名称を持ち込むことによって、自衛隊を正真正銘の〝戦う軍隊〟としての内実を高めようとする、一種のプロパガンダの狙いである。二〇一七年五月三日の憲法記念日に当時の安倍首相が唐突にも切り出した自衛隊加憲論に具現されている。それは、事実上の自衛隊国軍化構想と表裏一体の関係性が露骨に滲み出た感がある。

既に自民党国防族の面々を含め、自民党内の自衛隊国軍化派の頭には、自衛隊の専守防衛を基調とする防衛戦略は極めて希薄となっている。そこでは防衛戦略に替わる、作戦展開を自在に選択可能な攻勢戦略へと、大きく舵を切っていると判断できる。三自衛隊を自在に作戦展開するコントロールセンターとしての「統合作戦室」設置は、こうした方向性を確実にするために必須の要件と位置付けられているのである。

「統合作戦室」が具体的に如何なる機能役割を果たすのかについては、現時点で定かではない。そもそも三自衛隊の統合運用については、これまで自衛隊組織の相次ぐ改編のなかで、ある意味では着々と進められてきた経緯がある。現在は、その要として統合幕僚監部が組織強化され、統幕議長の権限強化が進められてきたのである。

こうして、個別的ではあれ、統合運用機能が全体化されたと判断できよう。つまり、権限強化された統幕議長が統轄するシステムが出来上がっているのである。しかし、国防族の面々は、それでは不充分だと判断している。そこから判断できるのは、自衛隊・防衛省主導で進められてきた「統合運用」の主導権をめぐり、自衛隊・防衛省の主導権を奪い、国防族に後押しされた官邸主導による「統合作戦室」設置構想に切り替えようとする動きが透けて見えることだ。

安倍政権下ではタカ派的な姿勢が顕著だった国防族が統合運用にも影響力を行使するとなると、極めて軍事色が鮮明となるばかりか、アジア近隣諸国に新たな日本への不信感や警戒感を与えることになる可能性が高い。自民党のタカ派議員のなかには、日本の防衛政策が他国に配慮しながら進めるのは可笑しいとの発言が相次いだとのこと。外交と防衛は一対のものであり、また、時として相反するものでもある。戦前の轍を踏まないためにも、防衛問題が外交を進める上での障害となってはならない。防衛は外交に従属するものとする関係性を歴史の教訓として学んだはずである。だが、国防族の面々は、その歴史の教訓から何も学んでいない。

「新防衛大綱」を読み解く

新安保法制法制定後の「防衛大綱」を注視したい。

例えば、二〇一八年一二月一八日、国家安全保障会議及び閣議決定された「平成三一年度以降に係る防衛計画の大綱について」（以下、「新防衛大綱」）では、「Ⅴ　自衛隊の体制等」の項目を設け、以下の如く記されている。すなわち、「１　領域横断作戦の実現のための統合運用」において、「(1)あらゆる分野で陸海空三自衛隊の統合を一層推進するため、自衛隊全体の効果的な能力発揮を迅速に実現し得る効率的な部隊運用態勢や新たな領域に係る態勢を統合幕僚監部において強化するとともに、将来的な統合運用の在り方について検討する」（同、二四頁。傍点引用者）と折衷型の文言に集約された。どう読んでも奥歯に物が挟まったような、典型的な両論併記の文言である。

この文言から、統合幕僚監部と自民党国防族及び官邸との鬩ぎ合いの実情が透けて見える。「将来的な統合運用の在り方について検討する」との含みを持たせた表現によって、両者の妥協点が取り敢えず図られた格好となっているが、恐らく両者間で相当の議論が繰り返されたことは容易に想像できる。

この両者の鬩ぎ合いの意味は、一体何処にあるのだろうか。

一つには自衛隊統合幕僚監部が「統合運用」の主導権をあくまで確保し、現在の進めている三自衛隊個別の「統合運用」システムを、事実上一元化する方向で三自衛隊相互の内部調整を進めて行きたいと考えていることである。それを自衛隊出身者である中谷議員らが、ある種外部的な意向を汲み取る恰好で、世論やメディア向けに、盛んに「統合作戦室」設置の意気込みを語ることに対して、制服組幹部や防衛省幹部が違和感を覚えていることであろう。その違和感のようなものが、先に引用した「新防衛大綱」に滲み出ているのである。統合幕僚監部主導の統合運用ではなく、「文民」である国防族とされる国会議員が官邸の意向を受けてとは言え、「文民主導型統合運用システム」の構築を計るのは文民統制の観点から言っても合理的ではないか、と判断されるかも知れない。たとえ名称に「作戦」の用語が使われたとしてでもある。しかし、これには重大な危険極まりない深刻な問題がいくつか含まれている。

二つには、「作戦」という用語が定着していくことだ。明らかに軍事用語である「作戦」は、日本国憲法第九条の主旨と相反するものであることは論を待たない。自衛隊組織は、現時点で極めて慎重に構えており、統合幕僚監部には事実上の部隊運用を司《つかさど》る部署名として、「防衛部防衛課」の名称を用いている。事実上の軍艦を護衛艦と呼ぶに近い最低限の配慮が政治的な判断からも施されている。

その政治的判断をも放棄してしまおうという、言うならば正面突破に近い強面の姿勢が読み取れることだ。改憲先取りとも言える方針を、改憲論者の集団でもある国防族議員が率先しているのである。

それで今回の「統合作戦室」との関連だけ触れておけば、ここで言う日米同盟強化の具体化・実践化の一環として、報告書は、(1)米による基地共同運用、(2)共同作戦計画の策定、(3)防衛装備品の共同開発、と並んで、(4)自衛隊の統合司令部の創設、を提言している。この四項目が、今回日本政府に新たに突き付けられた課題ということになる。

この四項目は全てが新しい提言、つまりは要求事項ではなく、既に日米合同委員会を中心に協議が進められてきた内容である。但し、日米合同委員会での協議内容は公表されないので、日本のメディアや国民は、こうしたアメリカのシンクタンクが公表する内容から読み取るしかないのが実情である。

先の中谷元防衛大臣などは、日米合同委員会での協議内容を踏まえて先出の格好でメディアで「統合作戦室」という呼び名を使い、報告書にある特に「自衛隊の統合司令部の創設」への地均《じなら》しのため、メディアや国民の認知を求めているのであろう。

3　新安保法制法で形骸化する文民統制

文民統制と文官統制

新安保法制は、自衛隊統制の基本原理とも言える文民統制の内実を崩壊させるに等しい内容をはらんでいる。そこで新安保法制法下における文民統制の問題に絡めて述べていきたい。私の結論は、同法により自衛隊と言う武力集団と平和憲法との共存を担保してきた文民統制という制度が形骸化され、著しく棄損される状況になったことである。

今日のメディアでは、文民統制と文官統制の用語が混在して使用され、少々混乱を生じているようである。文民統制とは、民主主義国家にあって政治と軍事との関係を規定する場合、政治が軍事より優越し、軍事は政治の下位に位置づけることを原則とする制度あるいは思想を指す。

それゆえ文民が武官を統制する意味で文民統制（シビリアン・コントロール　Civilian Control）と呼ばれる。文民統制はまた文民優越（シビリアン・シュプレマシー　Civilian Supremacy）とも表現される。具体的には自衛隊の最高指揮官は内閣総理大臣、アメリカ軍の最高司令官は大統領であり、武官は自衛隊や軍の最高指揮官には就くことはできない、とする原則が民主主義の下では確立されている。

一方、文官統制とは、文民統制を具体的な制度のなかで実効性を発揮するために案出された、いわば日本型文民統制と称して良いものである。具体的には、総理大臣の命令を受けて自衛隊を運用する防衛大臣を防衛官僚である文官（背広組）が補佐し、防衛大臣と自衛隊との間のクッション役を担い、自衛隊（制服組）の独走を抑制する役割を果たそうとする制度である。

言い換えれば、日本の文民統制とは防衛官僚（文官）による自衛隊統制を示しており、それは日本の再軍備となった警察予備隊創設当時から保安隊を挟み、自衛隊創設に至るまで続いてきたものである。なぜ、日本の文民統制が文官統制として継続されてきたかの理由は、日本の憲法では第九条の条文により陸海空の戦力を保持できないことになっており、自衛隊統制に関する条文が不在であるからである。

そして、この文官統制に加えて防衛出動の承認を国会で行う意味で国会による統制（国会統制）、首相や防衛大臣らによる内閣の統制（内閣統制）など、自衛隊の運用においては二重三重の縛りをかけている。それだけ高度専門技術職能集団であり、武装集団である自衛隊組織を統制することは、決して容易ではないからである。

重ねて言えば、戦前において政治と軍事が対等の位置に置かれ、さらには統帥権独立制や帷幄《いあく》上奏権などによって、軍事が政治の統制を阻み、逆に政治に介入した歴史の教訓から、また、日本国憲法に規定不在の自衛隊を統制する必要上から文官統制をはじめ、国会統制や政府統制など、いくつもの統制システムを起動させているのである。

従って、日本の文民統制を実態的に表現したものが、文官統制・国会統制・内閣統制である。このうち、最も実効性が高いのが文官統制とされてきた。

それで防衛省設置法改正で焦点となっているのが、このうちの文官統制である。この文官統制こそ、日本においては従来から文民統制としての機能を事実上果たしてきたからである。この点から言えば、国会統制や内閣統制が健全に機能するのであれば、文官統制が事実上廃止されたとしても広義の意味における文民統制が、それだけで形骸化される訳ではない。

しかし、国会統制も内閣統制も、これまで必ずしも文民統制の実を挙げてきた訳でもなかった。それだけに、文官統制が充分に機能することで、日本の文民統制は存立し得たと言っても過言ではない。そこでは自衛隊は文民に従属するという大前提が認められていた。統制と従属ではニュアンスが若干異なるが、換言すれば軍事は政治の下位にあること、武官は文官の命令に従うことなどと言い表わせる。その根底には、戦前の軍国主義が民主主義を食い破り、日本をして戦争へと突き進んだという苦い歴史体験からも必要条件とされた。

自衛官の政治的位置

武官（制服組）が文官（背広組）に従属するとの考え方は、決して自衛隊独自なものではなく、欧米各国の軍事担当者たちが、ほぼ共有しているものである。実際に、政治と軍事のそれぞれ固有の動きを捉えることによって、ここで言う政策決定過程と、その内容を深く検討する必要性から二分化の方法が採用されてきたのである。軍事と民事が両立・共存するための苦肉の制度として文民統制と称する制度が導入された経緯があり、両者の関係を政軍関係と称する。

政軍関係とは、そもそも「政治」（政府・文民）と「軍事」（軍隊・軍人）との関係を、対立的かつ非妥協的な関係として捉えようとすることではない。その理由は政軍関係論自体が、両者の協調性や相互補完関係の構築に最終の目的が置かれたものという点からだけでない。

実際に「政治」は、実に多様な制度や論理が複合して構成されたものである。その「政治」に比較して圧倒的な団結力を特徴とする「軍事」にしても、それが置かれた歴史的条件や政治的条件、さらには経済的条件、あるいは国民の「軍事」への期待度など、様々な要素によって多様な構成体として存在しているからである。

もっと別の角度から言えば、「軍事」部門を担当する軍事官僚には極めて政治的な行動規範に固執する者もいれば、政治自体には殆ど関心を示さないか、政治には自己抑制的な姿勢で臨む者もいる。そのなかで、政治的軍人は軍内部で自らの地位や軍自体の政治的地位を高めるため、政治集団を組織し、その力によって政治を逆に統制し、場合によっては軍事と政治の一体化を図ろうとする。それにはかつての韓国における朴正煕軍事政権や台湾の蔣介石《チャンチェシー》政権、或いはタイやミャンマー（旧ビルマ）などの事例がある。

従って、政軍関係は単線的な対立関係と捉えるのではなく、両者の独自で複雑多様な内部構造の重層的な絡み合いによって、一つの政治関係が形成される、と捉えるべきである。その意味で政軍関係は、非常にダイナミックな変動を常に露呈していくのである。一般的に言えば、政軍関係は決して併存的な関係として固定的に捉えられないのである。

それでは軍事あるいは軍隊とは、近現代国家の内部にあって一体どのような役割期待を与えられ、また何によってその正統性を付与されているのかについて、簡単にでも要約しておく必要があろう。

軍事・軍隊は言うまでもなく「国家防衛」（国防）という任務を付与され、軍事の論理に則り厳しい規律によって内部統制された高度職能集団である。そして、民主主義国家では、法的な制約のなかで一定の政治的な役割期待を担う限り、正統性を担保される。その場合、以下の三つの職務を履行しているとされる。

すなわち、①国防の責任を果たすために必要な資源配分を要求する、②政治指導者が対外政策を決定する際、その政策の軍事的インプリケーション（関係性）を明らかにし、所要の勧告を伝え、政治指導者の政策決定に資する、③政治指導者の軍事行動を実行する、である。

以上、三つの職務を合法的な枠内で実行している限り、特に政軍関係に問題は派生せず、両者は相互補完的な連携を保持していることになる。問題は軍の側が労働組合や業界団体などの利益集団や圧力集団と同様に、政治的行動によって自らの利益や地位を拡大するか、あるいは法的制約から逸脱してまで自らの地位強化に乗り出す場合に、軍に付与された役割構造が崩壊する。

その場合、軍はその物理的手段に訴えながら政治に圧力をかけるか、さらには政治権力を掌握して国家を支配しようとする。そこで軍による政治への干渉から介入、最終的には政権奪取という過程を事前に阻止するためにも、政軍関係の合理的な在り方をめぐる議論が、文字通り民主的に行われておく必要があり、その実行過程も政軍関係論の重要なテーマとなってきた歴史経緯がある。

文民統制（シビリアン・コントロール）のシステムとは反対に、軍事による政治統制が敷かれ、その教訓から文民統制のシステムが取り敢えず機能している戦後の日本においても、極めて重要なテーマとして論じられているのである。

文民統制からの逸脱

警察予備隊を前身とし、保安隊を挟んで現在では世界でも屈指の実力を持つに至った自衛隊は、文民統制という制度に従順であったか、と言えば問題が多いのが実情だ。現実には文民統制からの逸脱が目立つのである。

既に二〇年余りを経過したが、二〇〇一年に起きた九・一一同時多発テロ以降、自衛隊が自らの役割について、それまで以上に積極果敢に世論に直接訴えかけるような動きが相次いでいる。この時、海上幕僚監部（以下、海幕）は、密かに空母キティーホークのインド洋出撃の際の護衛、在日米軍基地の警備・防衛、防衛庁設置法第五条第一八号の「所掌事務に必要な調査及び研究を行うこと」の規定を法的根拠として、自衛隊艦艇の派遣など明記していた。

同年九月一九日、対米支援策を検討していた当時の小泉純一郎政権は、七項目の「対米支援策」を公表するが、そこに海幕の主張する「自衛隊艦艇の迅速な派遣」が盛り込まれていた。海幕の自衛隊艦艇派遣への執着は、同月二一日、当時官房副長官であった安倍元首相への直訴にも遺憾なく示されていた。

実際にも同月二一日に空母キティーホークが戦闘作成行動のため横須賀基地からペルシャ湾に向けて出港、さらにはアメリカの強襲上陸艦エセックスが佐世保基地から出撃した折、海上自衛隊艦艇が随伴し、護衛活動にあたった。まだ行使容認されていなかった集団的自衛権行使の発動に相当する自衛隊艦艇の動きに、世論やメディアも敏感に反応し、懸念する声があがると、当時の小泉政権はイージス艦の派遣には慎重姿勢を採るようになった。

その動きが露見されてくると海上自衛隊は、二〇〇二年四月一〇日、海上自衛隊の幕僚監部の幹部が在日アメリカ海軍のチャプリン司令官を横須賀基地に訪ね、海上自衛隊のイージス艦やP3C対潜哨戒機のアフガニスタンへの派遣をアメリカ側から日本政府に要請して欲しいと働きかけたというのである（『朝日新聞』二〇〇二年五月六日付）。事の真相は、海自のシンボルとも言える電子戦闘艦であるイージス艦の派遣を躊躇する日本政府の態度に業を煮やした海自の幹部が、アメリカの威光を盾にとって派遣の実現を果たそうとしたことにあった。

海自としては、近々に予想される事態となっていたアメリカのイラク侵攻作戦開始前に既成事実を作っておき、いつでもアメリカへの全面支援態勢を採れるようにしておきたかったのである。この海自の要請もあってか、アメリカ側は同年四月一六日にワシントンで開催された日米安保事務協議に先立ち、日本政府に対し非公式ながら派遣要請の打診を行った。

さらに、同月二九日にワシントンを訪問中の自民・公明・保守の与党三党の幹事長に対しても、ウォルフォヴィッツ国防副長官が派遣要請を行ったとされる。しかし、日本政府は、アメリカの対アフガン戦争に協力の姿勢は見せていたものの、世論の動きやアジア諸国の反応を考慮して、自制的かつ限定的なものに留まっていた。イージス艦の派遣は、全面協力の印象を内外に与える恐れがあり、慎重な態度を崩さなかったのである。

これは一定の政治決断と軍事判断の鬩ぎ合いと受け取られがちだが、軍事判断は当然ながら政治決断に従属するものである。その意味で海自幹部の行動は、明らかにこの原則から逸脱した行為であった。アメリカとの連繋強化という、日本政府の外交・防衛政策の原則に便乗しつつ、自らの宿願を実現しようとする海自幹部の行動自体の背景には、この機会に軍事判断や選択を正面切って押し出していこうとする自衛隊幹部間の共通認識があったのである。

これに加えて、海自がイージス艦の派遣に拘った理由がもう一つある。

海自はここに来てアメリカ海軍との軍事連繋を強めているが、それは作戦展開中のアメリカ海軍の通信リンクに加わることによって、初めて正真正銘の連繋が実現すると考えているからである。つまり、横須賀を母港とするアメリカ第七艦隊の通信リンクに加わると、アメリカ海軍から通信リンクに必要なハードとソフトが期限つきで譲渡され、文字通り、アメリカ軍の情報ネットワークへの参入を許されることになる。

それはアメリカ軍との一蓮托生の関係を構築することになり、集団的自衛権の発動への敷居を事実上無くしてしまうことを意味していた。それゆえに、日本政府も防衛庁（現、防衛省）背広組も、とりわけ情報収集・処理能力の高いイージス艦派遣には慎重となっていたのである。裏を返して言えば、海自はアメリカ軍の通信リンクに参入することによって、事実上の集団的自衛権への踏み込みを企画していたとも考えられる。

日本政府は、そのことを充分承知であったがゆえに、最後まで慎重な態度を崩さなかったのである。当時の日本政府・防衛庁は、おそらく海自と水面下でその辺りの問題を繰り返し協議したのであろう。海自が実際に通信リンクに参入したかは依然としてはっきりしないが、参入して獲得した情報を防衛庁内局に秘匿したままである可能性も極めて高い。それは内局ですら確認しようがなく、内局はその点に関して自衛隊側に不満を募らせてもいる。

こうした一連の自衛隊制服組の動きの積み重ねのなかで集団的自衛権行使容認の閣議決定が強行されたと言える。それは安倍政権の主導で強行されたことは間違いないが、同時にここで紹介した従来からの自衛隊制服組の動きも看過できない。果たして、これで文民統制制度が機能しているのかと疑うのは当然であろう。新安保法制法も、こうした流れのなかで構想され、実現したものなのである。

自民党の改憲案に参画する自衛官

文民統制の逸脱事例は、陸上自衛隊の自衛官にも及んでいる。それは、自民党が進める憲法改正の動きのなかで、憲法草案の作成に一役買っていたことが判明した一件であった。

大分以前のことだが、二〇〇四年一二月五日の報道によると、憲法改正を推し進める自民党の憲法改正起草委員会（座長は中谷元・元防衛大臣、当時は防衛庁長官）に幹部自衛官が憲法改正案を提出していたことが発覚したのである。幹部自衛官とは、陸上幕僚幹部防衛部防衛課防衛班に所属する二等陸佐で、陸自制服組の中枢部に所属する〝幹部将校〟である。同年七月下旬に提出されたとする文章は、安全保障問題関連の指針を示した「憲法改正案」（以下、改正案）と、具体的な条文規定を示した「憲法草案」（以下、草案）の二つの文書からなっていた。

この改正案では、集団的自衛権の行使が「必要不可欠」と断定されており、その一点だけを取って見ても、形式的レベルであれ、従来から「専守防衛」の大前提を崩さなかった安全保障観を否定し、日米軍事共同体制を前提とする海外派兵の常態化を図ろうとする自衛隊幹部の強い意志が読み取れる。そこで、自衛隊制服組の全てではないにせよ、少なくとも自衛隊組織の中枢にいる制服組の中堅幹部が、草案作成で示した内容を紹介しておこう。

草案では、①侵略思想の否定、②集団的安全保障、③軍隊の設置・権限、④国防軍の指揮監督、⑤国家緊急事態、⑥司法権、⑦特別裁判所、⑧国民の国防義務の八項目について、それぞれ条文が付されていた。草案には「国の防衛のために軍隊を設置する」と明記されたように、正真正銘の軍隊と軍事機構を国家機構の一部として、改憲後の〝新憲法〟に組み入れるための、極めて具体的な構想が明示された。草案を概観すると、憲法改正による自衛隊側の実現目標が、どこにあるのか大筋で明らかとなる内容となっている。

まず、①侵略思想の否定は、非侵略型の常備軍の性格規定をすることで、戦前の軍隊との断絶を強調し、草案で言う「国防軍」を、②集団的安全保障の行使を前提とした海外展開を強く意識して編成しようとする構想が窺われる。さらに、③軍隊の配置・権限において、新軍隊の憲法規定を明示し、国家の機構の中軸としての役割期待を鮮明しようとした。

それとの関連で、④国防軍の指揮監督については、これまで以上に制服組の直接指揮権限が強化される方向で検討されていた。そして、「国防軍」が社会的な正当性や認知を獲得していくためには、⑤国家緊急権事態をより具体的に例示しておく必要性を確認しようとした。

⑥司法権、⑦特別裁判所、⑧国民の国防義務の三項目は、相互に連動する関係にある。そこでは、単に「国防軍」内部の規律維持と犯罪予防のための措置としてだけでなく、国防意識の必要性を認めず、「国防軍」

への非協力的な態度や反軍的な言動を行う市民や労働者への恫喝としても、法的手段を用意することに主眼が置かれている。

それで、さらなる問題は、改正案にせよ草案にせよ、現職の幹部自衛官が作成した改憲案が、二〇〇四年一一月一七日、自民党憲法調査会に属する憲法起草委員会の名で公表された「憲法改正草案大綱（原案）」（以下、原案）に、殆どそのまま活かされていることである。

公表済みの原案の一部を見ておくと、その第八章には「国家緊急事態及び自衛軍」とあり、草案にある「国防軍」は「自衛軍」と改名されていた。ストレートに「国防軍」とする名称では国民の反発を招きかねない、という配慮が働いたものと思われる。「自衛軍」が、そして最終的に「国防軍」の名称で登場してくるのは、十分に予測されるまでに至ったのである。

憲法遵守義務を怠る行為

原案で「自衛軍」は「個別的又は集団的自衛権を行使するための必要最小限度の戦力を保持する組織」と規定されており、専守防衛を前提とする「自衛隊」の役割を原則として自己否定してみせる。そのうえで、「自衛軍」の任務を国家の「緊急事態に対し、我が国を防衛すること」「治安緊急事態、災害緊急事態その他の公共の秩序の維持に当たること」「国際貢献のための活動（武力の行使を伴う活動を含む）」（傍点引用者）と規定する。

その一面で、専守防衛の任務規定を掲げつつ、本音として武力を含む国際貢献の実行部隊として「自衛軍」への新たな役割期待を表明している。これが、二〇〇四年一二月一〇日に政府が公表した新「防衛計画大綱」に盛られた内容と符合する点も看過できない。例えば、原案で言う「防衛緊急事態」は、草案の⑤国家緊急事態に関連する。原案では国家緊急事態が発生した場合には、首相が「基本的権利」を制限できるとし、一連の有事法制問題でも議論されてきた戒厳令の規定が盛り込まれた。草案と原案との繋がりということでは、さらに一、二の事例を挙げておきたい。

⑧国民の国防義務に関連し、原案では第三章「基本的な権利・自由及び責務」の第三節の国民の項において、「国防の責務及び徴兵制の禁止」が明記されている。周辺事態法から武力攻撃事態対処法、さらには国民保護法に至るまでの一連の有事法のなかに盛り込まれていた「有事」における「国民の協力」の内容が、ここでは「国防の責務」という形で一気にグレードアップされたのである。そこでは国防意識や国防思想の普及が前提とされ、国防の概念を再び市民社会に浸透させようとする魂胆すら透けて見える。

憲法改正起草委員会は幹部自衛官が提出した改正案及び草案が、原案に「全く反映していない」(『朝日新聞』二〇〇四年一二月六日付)と関連性を否定する。だが、同委員会の中谷座長の要請で幹部自衛官が提出した経緯や、何よりも以上のような内容を吟味すれば、その関連性は否定しようがない。武力行使を前提とした「自衛軍」であれ、「国防軍」であれ、名実共に「軍隊」の創設を主張する草案も、その草案をほぼ全面的に採用する内容の原案も、交戦権及び戦力保持を明記しており、現行の憲法第九条を真っ向から否定するものである。

これまでになく、明確な形で憲法第九条が否定される内容の改憲案が、幹部自衛官の手を借りて文章化された。このことの政治的意図に着目せざるを得ない。ここに来て改憲構想の中心的部分である安全保障問題について、自衛隊主導の構想が俄かに浮上してきたのである。

原案自体は国の内外からの激しい批判を浴び、同年一二月四日、自民党執行部は、その白紙撤回を決定した。だが、世論の鎮静化を暫く待とうとする姿勢が顕著であり、これによって自民党の改憲構想の大枠が全面的に崩された訳ではない。

自衛隊が憲法番外地に

このように自衛隊制服組の逸脱行為が顕在化してきている。当時、大方が秘匿されていたがゆえに、この問題はメディアでも余り取り上げられなかった。現職の高級自衛官がこのような内容の草案や、一連の改憲を政治日程に掲げて奔走する自民党に提出することは明らかに問題がある。

当時の防衛庁（二〇〇七年一月九日から防衛省に昇格）は、幹部自衛官の行動に対し、先の海幕長による参事官制度廃止要求に続き、明らかな不快感を示し、「国家公務員法」第一〇二条の「政治的行為の制限」及び「自衛隊法」第六一条の「政治的行為の制限」の違反や、「防衛庁設置法」第二三条の「幕僚監部の所掌事務」の逸脱に該当しないか調査を開始するとしていた。背広組は、今回の幹部自衛官の行動を、文民統制の原則から逸脱する行為だと受け止めていた。しかし、この問題はその後十分には議論されることはなかったのである。

この他にも、公務員に課せられた憲法第九九条の憲法尊重擁護義務への違反行為という議論も当然出てきてよいはずであった。厳密に言えば、法解釈上からは幹部自衛官の行動は、これら全てに違反する重大な事件である。まさに自衛隊が、幹部自衛官による憲法に抵触する行為を見逃したのである。自衛隊が憲法番外地となっている状態だ。本人だけでなく、監督責任のある上層部の法的責任が厳しく問われることは必然であった。しかし、直接的にせよ間接的にせよ、幹部自衛官の政治的発言に歯止めがかからなくなっている現状を示した事例となった。あらためて事件が意味するものを指摘しておきたい。

第一に、武力を保持した高度専門技術職能集団の幹部である自衛官には、政治に対して厳正中立の態度を保持する責務が課せられていることを自覚する必要があることである。

一党派の政治行動に歩調を合わせること自体、不偏不党であるべき自衛隊に対する国民の信頼を根底から揺るがすことにある。例えば、自衛隊と同様に、国民生活の安全確保の役割を担う警察が、一党一派に偏した言動をするならば、警察への信頼が損なわれることは必至である。それと全く同様の事態が起きているのである。それで、この事件は憲法改正による国軍の成立を目標としたものである限り、それは〝法によるクーデター〟だと解することもできる。

既に触れたが、ここに示された自衛隊の体質は時を経て、二〇一八年四月一六日、幹部自衛官の国会議員への暴言となった事件においても表出する。そこでは幾重にも張り巡らされた政治的行為の制限を課した法律の数々は、自衛隊という武力組織集団が政治的行為に及ぶ場合の危険性を事前に予防する措置としてある。たとえ、改正案提出の要請があったとしても、防衛省（庁）は「幕僚監部の所掌事務」や「政治的行為の制限」などの条項と照合して、これを拒否するのが妥当であろう。

今日、「政軍連携」の密度が極めて高くなっており、防衛省背広組の抵抗に拘わらず、安全保障問題及び防衛問題の領域において、軍事専門家である制服組に大きく依存する構造が出来上がりつつある。

第二に、かつての栗栖発言に示されたように、幹部自衛官の超法規的な言動が頻発している事態に、すでに自衛官や自衛隊組織に対する法による規制や政治による統制が限界に達していることも明らかである。その意味でも、文民統制も機能不全に陥りつつある。同時に、そのことは幹部自衛官たちの民主主義社会の規範への不服従の姿勢が露わになってきたとも言える。

第三に、こうした動きが加速している最大の理由は、政治家たちの間にある文民統制への無関心あるいは拒否反応である。むしろ、積極的に自衛官の政治的言動を促し、規制事実の積み重ねのなかで、この国の軍事化に拍車をかけようとする目論見も透けて見える。

そこで問題とすべきは、自衛官を統制する役割の「文民政治家」が、場合よっては幹部自衛官以上に軍事主義に囚《とら》われていることである。世論にしても、一九六三年に国会で暴露された「昭和三十八年度統合防衛図上研究」（通称、「三矢研究」）や、一九七八年の栗栖発言問題の時のような厳しい反応が見られない。そうした政治家のスタンスや世論の変化が、幹部自衛権の政治的発言に拍車をかけているのである。

いよいよ増強の一途を辿《たど》ろうとする自衛隊に対し、文民統制（＝民主的統制）の制度を効果的に機能させることが益々求められている。そこで必要なことを取り敢えず三点挙げておきたい。

第一に、自衛官一人一人が文民による統制を「服従することの誇り」として受け止めること、**第二**に、自衛隊はあくまで「専守防衛」に徹すること、**第三**に、国際社会に脅威となるような装備の抑制に努めること、である。これらの前提となるのは、軍拡の連鎖を呼び込むだけの抑止力論から脱皮すること、安全保障を軍事的側面のみに矮小化する議論から脱皮することである。紛争に歯止めをかけるものは、決して軍事力ではなく、日常的な交流や情報交換などの外交力や交渉力である。同時に〝民意力〟である。

多国間で民意を介在した関係性の構築こそ、最大の紛争や軋轢の抑止力となろう。問題はそれを、いかに政策に取り込んでいくかである。広義の安全保障論とは、そうした総合性のなかで紛争や戦争を押さえこみ、人権問題や地球温暖化など、人間の尊厳や生命・健康を守ることに注力しなければならない時代を迎えているのである。

【日本国憲法】

第二章　戦争の放棄

第9条　日本国民は、正義と秩序を基調とする国際平和を誠実に希求し、国権の発動たる戦争と、武力による威嚇又は武力の行使は、国際紛争を解決する手段としては、永久にこれを放棄する。

2　前項の目的を達成するため、陸海空軍その他の戦力は、これを保持しない。国の交戦権は、これを認めない。

【日本国憲法改正草案　自由民主党　平成二十四年四月二十七日（決定）】

第二章　安全保障

（平和主義）

第九条　日本国民は、正義と秩序を基調とする国際平和を誠実に希求し、国権の発動としての戦争を放棄し、武力による威嚇及び武力の行使は、国際紛争を解決する手段としては用いない。

2　前項の規定は、自衛権の発動を妨げるものではない。

（国防軍）

第九条の二　我が国の平和と独立並びに国及び国民の安全を確保するため、内閣総理大臣を最高指揮官とする国防軍を保持する。

2　国防軍は、前項の規定による任務を遂行する際は、法律の定めるところにより、国会の承認その他の統制に服する。

3　国防軍は、第一項に規定する任務を遂行するための活動のほか、法律の定めるところにより、国際社会の平和と安全を確保するために国際的に協調して行われる活動及び公の秩序を維持し、又は国民の生命若しくは自由を守るための活動を行うことができる。

4　前二項に定めるもののほか、国防軍の組織、統制及び機密の保持に関する事項は、法律で定める。

5　国防軍に属する軍人その他の公務員がその職務の実施に伴う罪又は国防軍の機密に関する罪を犯した場合の裁判を行うため、法律の定めるところにより、国防軍に審判所を置く。この場合においては、被告人が裁判所へ上訴する権利は、保障されなければならない。

（領土の保全等）

第九条の三　国は、主権と独立を守るため、国民と協力して、領土、領海及び領空を保全し、その資源を確保しなければならない。

【課題と提言：歴史問題】

第三講　東アジア諸国民とどう向き合っていくのか

～アジア平和共同体構築と歴史和解への途～

はじめに――歴史和解が平和実現の前提ではないか

日本のこれからを考える時、中国、韓国、台湾、北朝鮮など東アジア地域諸国との距離の採り方が大きな課題となる。現在に続く歴史問題という重い壁を依然として突き破れないでいる。かつて侵略し、植民地とした歴史の事実に依然として向き合えないでもいる。

向き合えない理由は、様々だと思われる。侵略戦争や植民地支配を負の遺産だと認めたくない政治家をはじめ、多くの人にも少なからず負い目があるからか。その負い目を何とか払拭したい、とする思いからもあろう。勿論、なかには南京虐殺は存在しなかった、植民地支配によって朝鮮・韓国の「近代化」は進んだとする、歴史否定論や植民地近代化論を平然と説く人たちも、まだまだ多く見受ける。歴史の事実を素直に認めることを潔《いさぎよ》しとしない心情に浸りきっている人たちもいる。その何《いつ》れにしても、ここで言う歴史問題を克服しない限り、これら東アジア地域の諸国との関係を改善することは難しい。だが、いま私たちに求められているのは、アジア地域が戦争の恐怖から解放され、人間の尊厳が保たれ、諸国間の友好と持続的な交流が闊達に行われることである。その延長上に国家の敷居を低くし、普遍的な価値としての民主主義や平和主義が共有されるために、緩やかな共同体の構築を展望していくことが、益々切望される時代となった。そのために、日本は率先してアジア平和共同体の構築に注力すべきではないか。

こうした展望を語り、議論し続けることは、同時に対立と戦争の恐怖からも解放されることを意味している。そこで本講では、私が考えるアジア平和共同体構築の理由と内容とを論じてみたい。そして、本講では歴史和解を強調しているが、それこそが歴史問題を解決する前提となる。

本講では、特に昨今益々深まるばかりの中国と韓国との歴史問題を特に念頭に置いている。依然として中国への侵略の事実が充分に認知されず、韓国とは従軍慰安婦問題や徴用工問題で認識の乖離が目立つばかりである。現状では日本の右傾化が進むのと比例して、歴史和解の目途も遠のくばかりである。第一講及び第二講でも繰り返し論じてきたように、中国脅威論などにより右傾化に拍車がかけられ、排外主義的な日本ナショナリズムが拡がりつつある現状だ。

客観的な歴史事実の検証を通して獲得されてきた歴史認識が反故《ほご》にされようともしている。その根底には、例えば日本会議が説くような歪な国家主義が勢いを増しているのであろう。それはファシズム的な史観への流れを形成しつつある。そのような時にこそ、普遍的で自由主義的な歴史観の鍛え上げのなかで、歴史和解への方途を探り出すことが求められている。

なお本講は、私の歴史認識論研究として、最初に韓国ソウル市に所在する韓国日本思想学会の機関誌である『日本思想』(第一五号・二〇〇八年一二月)に、「歴史認識と歴史和解――アジア平和共同体構築への展望」と題する論文を発表して以来、何度も書き直してきた論文の一部である。また、同論文は特に韓国や中国、台湾の大学での講義や講演用に纏めたものであり、多くの議論を交わす素材ともなった論文である。本書の目標に可能な限り合致させるため、手を加えていることをお断りしておきたい。

1　歴史を問い直すことの意味

アジア平和共同体構築の展望

混迷の度を深める現代の国際社会。そこから抜け出すためには、普遍的な民主主義や平和主義が共有されること、様々な意味で格差・貧困・不平等が解消されること、それらを原因とする暴力や戦争、そして環境破壊などの危機から人類が解放されること。こうした課題を克服するために、今人類の英知が試されている。そんな時代に私たちは立たされている。現実には立ち竦《すく》んでいると表現した方が良いのかも知れない。

この危機の時代を克服し、未来を切り開く方途が様々な場で模索されている。そこで注目したいのは、多様な学会や諸団体が「アジア共同体」、取り分け多様な危機を克服する「平和」の文字を入れて「アジア平和共同体」構築への道筋をつけるべく、研究や議論が活発化していることだ。

アジア平和共同体とは、様々な定義づけがある。国家の敷居を低くし、国家の縛りを緩めて、文字通り国境を越えて繋がり合うことを意味する。経済分野では、ヨーロッパでヨーロッパ共同体（EU）が創立され、その大統領も議員も選出されている。それは経済分野における国境を取っ払い、自由な物量を保証するものである。それと同様に、アジア平和共同体も特に政治領域において実践的な融合を目標として設定する。勿論、経済分野はグローバル世界の登場で経済共同体は、その歴史を既に長らく刻んできた。

しかし、政治分野においては国家を国家たらしめている政治システムの共同は、極めて困難な課題となる。政治と経済とは、全くことなる関係性を提起する。しかし、経済分野で深い関係性が構築されたとしても、政治分野での関係性が構築されない限り、対立や軋轢、さらには戦争発動に踏み込む可能性は高い。それは過去の歴史が示す通りだ。

アジア平和共同体構築は、何よりも複雑かつ混迷を深めるアジア地域を対象とする。だが、その実現可能性を疑問視する見解は極めて高い。同時に地域と比較しても多様性豊かな地域であるがゆえに、それが共同体を創るうえでの最大の障害と捉える見方も強い。

共同体の定義も一様でない。アジア平和共同体が具体的に如何なる形態を伴い、既存国家を如何に位置づけるか、について種々の議論がある。ここでは、地域共同体の先行事例であるヨーロッパ共同体（ＥＵ）のアジア版を想定していること、その意味でＥＵがそうであるように、既存国家の主権や領土を棄損するものではないことを先ず確認しておきたい。具体的には、アジアの共通通貨を設定して流通や人的交流の垣根を取り除いて経済的に相互依存関係を築き、欧州議会の設置や欧州大統領を選出して政治的合意を担保するシステムを構築している欧州連合（ＥＵ＝European Union）モデルを踏まえて構想される（写真参照）。

因みに、ＥＵの欧州議会は、議員定数七〇五議席である。このうちドイツに九六議席、フランスに七四議席、イタリアに七三議席などが割り当てられている。党派別では、保守主義の第一党である欧州人民党グループ（ＥＰＰ）が一八七議席、社会民主主義を掲げる社会民主進歩党（Ｓ＆Ｄ）が一四七議席、自由主義を掲げる欧州刷新（Renew）が九八議席、緑の政治・地域主義を掲げる欧州緑グループ・欧州自由連盟（Greens-EFA）が六七議席、極右・国家主義を掲げるアイデンティティと民主主義（ＩＤ）が七六議席などを占めている。

ブリュセル（ベルギー）の欧州議会会議場

出典）Belgium, Bruxelles - Brussel, European Parliament. The hemicycle empty.

そして、欧州議会の議長として、二〇二二年一月一八日に正式に選出されたのが、EPPに所属するマルタ出身のロベルタ・メッツォラ（Roberta Metsola）である。同氏は若干四三歳、ブリュッセルとストラスブールに会議場を持つ欧州議会の歴代三人目の女性議長として注目される。。

このようにEUは多数国家による連合国家としての組織を整え、各国の内政を反映した固有の諸政党が議会を構成し、欧州全体を鳥瞰《ちょうかん》した政治運営が進められている。そして、EUの前身となったのが欧州石炭鉄鋼共同体（ECSC＝European Coal and Steel Community）である。このようなEUが一つのモデルになるとしても、アジア版のEU、すなわち、〝亜州連合／AU＝Asian Union〟を構築することは、決して容易なことではない。

ECSC的な国家を跨ぐ横断的組織の一つとして有望だとする見解があるのは、二〇二〇年に成立した東アジア地域包括経済提携（RCEP＝Regional Comprehensive Economic Partnership）である。これは日本や中国、韓国、ASEAN一〇カ国にオーストラリアとニュージーランドを加えた合計一五カ国からなる。相互に自由な貿易を進める協定である。これはm日本の最大の貿易相手国である中国を含めた一五カ国が自由な貿易を進めるための協定である。

外務省他が纏めた『地域的な包括的経済連携（RCEP）協定に関するファクトシート』（二〇二一年三月）に依れば、RCEP参加国の人口総計は二二・七億人（世界の二三％）、GDP総計は二五・八兆ドル（世界の二九％）、貿易総額総計は五・五兆ドル（世界の二九％）である。EUを圧倒する規模である。今後の展開は予断を許さないが、これがアジア経済共同体としての内実を膨らまし、欧州議会と同質の〝亜州議会〟の起点になる可能性は在りえる。

特に先んじて議論となるのは、現代国家の形態に何かしらの変革を強いられるかも知れないという不安と懸念だ。例えば、二〇一六年六月二三日、イギリスは国民投票によってEUからの離脱（Brexit）を決定した。その理由は、移民受け入れの判断を自国の都合に関わりなく決定される可能性への忌避感にあったことが明らかにされている。

そこには国家主権の絶対性への心性が潜在しているのではないか。国家連合体あるいは国家共同体の構築とは、国家主権の相対化による国家概念の見直しを迫るという課題を背負う。それだけに、反動として過剰なまでの国家至上主義や排外主義的ナショナリズムの台頭を促してしまうのである。アジア共同体構築を決して〝遠い夢〟で終わらせないために、克服すべき課題は何かを真剣に検討すべき時代を迎えている。そのために欧州連合に倣い、〝亜州連合〟を形成する第一歩として、RCEPをアジア経済共同体の起点とし、緩やかな政治連携を担保するアジア平和共同体の構築を展望する議論の深化が期待される。

勢い増す右翼の動き

アジア経済共同体やアジア平和共同体の構築が求められる一方で、これを阻む動きが次々を生じている。現在アメリカを含め、フランス、イギリス、オーストリアなど欧米諸国で共通する現象としてのナショナリズムや反グローバリズムが一段と高揚しているのは、その一つであろう。突き詰めれば「国民国家」の形態を維持していくのか、脱「国民国家」の方向に舵を切っていくのかが、近い将来より本格的な争点となることは必至であろう。すなわち、現代国家の殆どが固有の歴史・文化・言語などを有する多数の民族・人種を「国民」の概念で包摂することにより、国家の形成に取り組んできた。文字通りの「国民国家」である。その「国民国家」という国家形態の限界性が露呈する時代が到来するのではないか、と言うことである。

かつて、現代国家が「国民国家」としての体裁や内実を獲得するためには、多様な民族性や言語・文化を固有の特性とする諸民族を「国民」という鋳型に流し込む必要があった。文字通り「国家」を形成するためには、多様性や固有の言語・文化を容認しつつも、上位の統合概念としての「国民」を持ち出した。第一講で国民国家への強制性が人権侵害を引き起こすメカニズムに触れたが、国家の構成員として束《たば》ねる必要性が、少なくとも政治領域では不可欠であったのだ。

それゆえに、たとえそれが政治目的だとしても、国旗や国歌など共有可能なシンボルを使いながら、国民としての一体感（アイディンティティ）を国民に注入する作業が推し進められた。その一体感を阻害しかねない「共同体」なる概念で、いずれ解体されてしまうのではないか、とする受け止めが、どうしても先行する。そこから、「共同体」構築による経済的あるいは政治的なメリットが期待される一方で、折角形成してきた「国民国家」としての一体感が崩壊していくのではないか、という危惧が生まれる。こうして排外主義的色彩の濃いナショナリズムの流れが起きているのである。

事実、現実の政治の世界に目を落として言えば、少し古い情報となってしまったが、二〇一六年一一月、アメリカの大統領選挙において、多くの予想を覆したドナルド・トランプ（Donald John Trump）大統領候補が当選したのも、こうした流れに沿った側面もある。

また、フランスの右翼組織である「国民連合」（Rassemblement National、旧名＝国民戦線）のマリーヌ・ル・ペン（Marine Le Pen）が、二〇一七年年春のフランス大統領選挙の有力候補として一躍注目されるに至った。結果的には現在のマクロン大統領に負けはしたが、一大ブームを巻き起こした。「国民連合」は、大フランスの復興を唱えるフランス王党派（Action Française）の流れを汲む。フランスの君主制支持運動が一定の支持者を確保しており、その立場を支持する者をレジティミスト（Légitimiste）と言う。そのフランスでは今年（二〇二二年）四月の大統領選に、ル・ペン以上に著名な極右の論客であるエリック・ゼムール（Eric

Zemmour）が出馬している。

こうした一連の動きは、西欧諸国内に拡がる格差への不満から、右翼政党の台頭にも繋がっている。少し遡れば、二〇一六年一二月四日に実施されたオーストリアの大統領選挙では、右翼の「オーストリア自由党」（FPO）候補であったホファー（Norbert Gerwald Hofer）が、僅か三万票の差でリベラル派「緑の党」のファンダーベレン（Alexsander Van der Bellen）に競り負けはした。しかし、予想外の接戦は、今後に大きな弾みをつける格好となった。同様の事態は、ヘルト・ウイルダー（Geert Wilders）率いるオランダの右翼「自由党」（PVV）、ドイツでは再選を目指したメルケル（Angela Dorothea Merkel）首相に対抗して、反移民を掲げたフラウケ・ペトリ（Frauke Petry）率いる「ドイツのための選択肢」（AfD）が、二〇一六年三月の地方選挙で勝利を収めた。二〇一六年一二月四日、イタリアではタレント出身のペッペ・グリッロ（Beppe Grillo）率いる「5つ星運動」（M5S）が、先の憲法改正問題をめぐる国民投票でレンツィ（Matteo Renzi）首相を退陣に追い込んだ。

因みに、ドイツの政治は昨年（二〇二一年）九月二六日投開票のドイツ連邦議会で社会民主党（SPD）がメルケル首相率いるキリスト教民主・社会同盟（CDU／CSU、支持率二四・一％）を破って第一党となり、総選挙結果を受けて社会民主党（同二五・七％）、緑の党（Grünen、同一四・八％）、自由民主党（FDP、同一一・五％）の三党連立内閣が発足している。AfDは、その後若干停滞気味だが、全体で一〇・三％の支持率を保っている。

先ほど触れた欧州議会の動きも同様だ。欧州議会議長は議会勢力によって、原則として第一党と第二党の間でローテーションにより選出されるが、ここ欧州議会でも、所謂中道右派と目されるEPP所属の議員が議長に選出され、主導権を握ったことになる。

こうした一連の流れは、国際社会に拡がる格差社会の顕在化の反映である。経済生活問題である格差の度合いが増すほど、人々は自らの経済生活基盤を保守しようと懸命になり、それに比例して自らが寄りかかるべく帰属意識を高揚させる。そこに発揚されるのが排他的な運動や発想により、他者を差別化することによる自己保存の心情である。実はこの心情・心性が、自らの歴史観念を非常に狭量なものにしていく。普遍的で開放的な歴史観念が疎《うと》まれ、自らが歩んできた歴史を称揚することで他者の歴史を排除する。それはこれまでの世界史においてもファシズムや全体主義の政治思潮のなかに具現された動きである。それと同質の動きが、いま欧米で大きな流れとなっているのである。ウクライナ侵攻を強行したプーチン大統領の歪《ゆが》んだロシア第一主義なる歴史観も、その流れのなかにある。

ただ、長いスパンで世界史を展望した場合、国家形態の変容や「国民国家」の相対化は、確かに過度的な現象として、時には徹底した排外的ナショナリズムや現代ファシズムの流れを呼び込んだ。だが、本来の意味における平和主義（パシフィズム）と民主主義（デモクラシー）とが国際社会で共有され、それを担保する具体的な組織や制度が確立されれば、それは何れ退潮の時代を迎えるだろう。これは若干楽観的な観測かも知れないし、その過程で戦争や内乱という暴力が、この流れの退潮を阻む可能性も否定できない。だからこそ、世界平和主義と世界民主主義を普遍的な価値や原則に据えた平和共同体構築を展望する必然性があるのではないか。

歴史認識を深めていくことの意味

国民としての一体感を担保するものとして、言語・文化などと並び重要なのが歴史認識である。例えば、建国史を普及させることで同じ歴史の下で国民としての誇りや自信が注入され、国家への信頼や忠誠、そして安住感が育まれていく。そこでは排外主義的なナショナリズムが、時には極めて煽情的に炊き上げられていく。その場合、いわゆる国民の歴史について教育現場などを通しての学習は、「国民国家」としての正統性が獲得されていく過程でもあった。

こうしたアジア平和共同体構築の極めて重大なハードルとして、何よりもこの「国民国家」としての一体感を支える歴史認識の問題がある。それは「共同体」構築が「国民国家」の解体を前提としたものではなく、既存の国家間の経済的・政治的・文化歴史的な垣根を取り除くプロセスのなかで、構築されるものと定義した場合、最も大きな課題として歴史認識問題があるのではないか。

恐らく、簡単な解答が見出せない歴史認識の問題は、後回しにして経済的かつ政治的な課題の克服が優先されるはずである。しかし、後回しにされるかも知れない歴史認識の問題については、実はヨーロッパ以上にアジア地域においては、一層複雑かつ深刻な乖離が現在なお顕著である。それを私たちは通常「歴史問題」の用語で議論する。日中間の侵略戦争をめぐる認識と謝罪の問題、日韓間における植民地支配責任や従軍慰安婦問題、さらには徴用工問題などをめぐる問題である。相互の歴史認識の乖離を埋める手立てを失ったような状況下にある現在、この歴史認識を埋める努力以上に、相手を屈服させ、自国の歴史認識を強要しようとする組織や人々の動きが目立つ。それをいつしか〝歴史戦〟などと物騒な名前で呼ばれる事態にもなっている。

特に韓国と日本との間で政治問題化している対象に、丁度今から一〇年程前の二〇一一年一二月一四日、韓国挺身隊問題対策協議会（挺対協）によってソウル特別市の日本国大使館前に建立された「平和の少女像」、所謂〝従軍慰安婦像〟問題がある。少女像は現在では、韓国内だけでなくアメリカ、カナダ、オーストラリア、ドイツなど含め現時点で五〇体以上が建立されている。さらに、二〇一六年一二月二八日には釜山広域市にある日本国総領事館前にも建立された。

日本政府は先の日韓合意に反すると異議申し立てを行った。翌二〇一七年一月六日、当面の対抗措置として、在大韓民国日本国大使館・長嶺安政特命全権大使（当時）と在釜山日本国総領事館領事・森本康敬（当時）の一時帰国、日韓通貨スワップ協定の取り決め協議の中断、日韓ハイレベル経済協議の延期、在釜山日本国総領事館職員による釜山広域市関連行事への参加見合わせ、などの処置を採ることを発表した。

日本国内では日本政府の抗議とは別に、地方議員などによる従軍慰安婦像の撤去を求める運動も存在する。この問題の本質は、歴史問題が単に両国政府間の外交交渉によってだけでは解決不可能であることを端的に示している。大切なのは韓国国民の感情を癒す誠実な行為である。

歴史問題を論じるうえでの用語として近年活発に使用される「歴史認識」「歴史意識」だが、その歴史認識の何が問題で、その解決手段は存在するのかを問うことが、アジア平和共同体構築を実現していく場合には、極めて重要な課題となる。具体的には、日本に依然として根強く主張されている侵略戦争否定論に結果する歴史修正主義や歴史否定主義の存在が、被侵略諸国から不信と嫌悪の思いで受け止められているのである。また、植民地統治支配の歴史についても、植民地近代化論などが幅を利かしている日本の歴史解釈の存在である。

そうした点からして、戦後日本人のなかに繰り返し導入される、極めて御都合主義的なアジア太平洋戦争観の問題がある。その戦争は明らかに侵略戦争であり、暴力と抑圧の極めて象徴事例として日本人の歴史認識のなかに刻印すべきところが、それとはむしろ逆にアジア太平洋戦争は侵略戦争ではなく、欧米諸列強によるアジア植民地支配を打破するために行ったアジア解放戦争だとする、歴史認識や歴史解釈が依然として横行している。それだけではなく、それが現代国家の共有認識とされている側面が強い。これは古くて、残念ながら依然として新しい問題でもある。

「国民国家」に不可欠な歴史認識の共有が、他の諸国間で容認し難いとなれば、それ自体を克服する作業が不可欠となる。この時代にあって、一国の歴史を一国だけで抱え込むことは不可能である。確かに近現代にあって歴史は、「国民国家」の形成に不可欠な手段として徹底して政治利用されてきた。将来においても同様かも知れない。しかし、人類が歩んできた歴史には、民族や国家を超えて相互に教訓とすべき事実や真理が含まれる。〝国民の歴史〟とする観念から脱して、〝人間の歴史〟と歴史の普遍的な役割を問い直すとき、自ずと歴史修正主義や歴史否定主義は克服されるはずである。

ならばアジア平和共同体構築への展望を踏まえ、歴史問題を正面から取り上げ、歴史和解への道筋を如何にしてつけていくべきだろうか。

より具体的には、最初に所謂歴史問題として政治問題化する根源としての歴史修正主義の問題を取り上げる。ここでは日本の近年における歴史修正主義の動きが一段と活発化している現実を踏まえ、改めて歴史修正主義の本質と派生の背景を検討しなければならない。

次いで特に日韓関係において繰り返し浮上する植民支配責任問題に絡めて、植民地支配責任が日本において忘却の対象とされてきた日本人の歴史意識に触れてみたい。そこでは、今日一層問題化している従軍慰安婦問題を俎上に挙げながら、歴史問題における記憶と忘却の問題を論じることが必要だ。併せて、以上の展開を受ける形で、依然として清算されない植民地近代化論についても触れておかなければならない。

この課題の解決の道筋を付けない限り、実は歴史和解には到底辿りつけないと考えるからだ。やや網羅的に諸課題を対象としているが、東アジア平和共同体構築を前提とする限り、極めて困難な課題であることを承知しつつも、歴史問題解決こそ焦眉の課題である。

歴史修正主義と文化相対主義

現在、日本における歴史問題で有力な歴史解釈として勢いを得ているのは、例えば日本の保守政党に所属する国会議員や地方議員の多くが所属する「日本会議」である。同会は、二〇二一年一月現在で会員数は約三万八〇〇〇名、四七全ての都道府県に本部が設置され、さらに二四一の市町村に支部があると言う。日本会議国会議員懇談会と日本会議地方議員連盟は、日本会議の関連団体である（左頁写真参照）。

その歴史観は、戦前の「皇国史観」と酷似している。彼らが目指す国家や国家制度の復権を実現させるために、先ず戦後民主主義や平和主義の起点とも言うべきアジア太平洋戦争が侵略戦争ではなく、「自衛」のための戦争であり、「アジア解放」のための戦争であったという歴史解釈を持ち出してくる。

アジア太平洋戦争の研究レベルや戦争観から言えば、アジア太平洋戦争を侵略戦争と明確に規定し、また多くの日本人が、侵略戦争あるいは極めて侵略性の高い戦争との認識を抱いていることは間違いない。だが、それにも拘わらず、それが同時的に戦争責任や加害責任の問題にまで意識化されている現状にはない、と言うことである。つまり、日本人の戦争認識が依然として確立されていないということだ。それが侵略戦争否定論者たちの格好の狙い目とされているのである。

歴史事実の隠蔽や忘却、そして恣意的な歴史解釈の押しつけは、現行憲法が示す歴史認識を否定し、ポスト冷戦時代に適合する新たな国民意識＝「帝国意識」の培養が試みられているとも理解される。ポスト冷戦の時代を迎えて、新世界秩序＝新体制創出の過渡期に入った現在、「相互依存体制」の深化と脅威の分散ないし拡散という矛盾した現象は、最も先鋭化した形としてアジア地域で表出している。その地域で日本が覇権主義を貫こうとすれば、国家組織の引き締めは強まることがあっても、弱まることは決してなかろう。

この「帝国意識」の基盤は、すでに経済大国意識によって大枠が形成されたものだ。それは「自民族中心主義」（エスノセントリズム＝ethno centrism）、あるいはエスノナショナリズム（＝ethno natinalism）に支えられた歴史観念を特徴とする。そこでは民族の歴史総体が、疑問を挟む余地なく一貫して栄光の歴史として評価され正当化される。

それゆえに、アジア太平洋戦争は日本民族の歴史にとって負の遺産ではあってはならず、その戦争目的において日本国家・日本民族発展のための大いなる試みであった、とする歴史解釈や認識が不可欠なのである。所謂「聖戦論」である。現在、流石に「聖戦論」を主《おも》だって主張することには抑制的であるが、その歴史観に深く刻印されているのは、間違いなく皇国史観に支えられた「聖戦論」と言える。

日本会議の機関紙『日本の息吹』
出典）http://www.nipponkaigi.org/publication/details?id=250

同時に世界的な観点から見据えておくことも忘れてはならない。「歴史修正主義者」（révisionisme）、または「歴史否定主義」（négationnisme）と呼ばれる歴史の〈見直し〉論者たちの世界的な動きとの、ある種の連動性の問題である。そこに共通するものは、国家至上主義を貫徹するために、国家の歴史は客観的な事実の記述ではなく、作為された恣意的な歴史叙述である。国家は常に栄光の歴史に包まれており、国家にとって不都合なる歴史事実は隠蔽され、忘却の対象とされる。そのために巧みな隠蔽工作が行われ、また制度化も進む。つまり、国家はその栄光を担保するため、隠蔽《いんぺい》装置を国家内に設置する。

歴史事実の隠蔽あるいは曲解・捏造《ねつぞう》の類は、書籍や雑誌、それにメディアをも動員して繰り返し実行される。そして、時として「国民」を動員・参加させ、様々な行事の形式を採って進行する。その結果、一定の成果を獲得している。そうして、国家にとって都合の良い「国民の歴史」が国家の手によって創作されるのである。

ドイツの「歴史家論争」

「歴史修正主義」に極めて厳しい姿勢を貫き、歴史和解を率先して進めてきたドイツにあっても、実は歴史認識をめぐる多様な議論が噴出している。そのなかでも特に有名なのが、「歴史家論争」（Historikerstreit）である。「歴史家論争」は、ドイツ・ナチズムが犯した罪の絶対的悪から相対的悪への格下げを結果し、さらにナチスによるユダヤ人虐殺やガス室の存在の否定論を引き出した。

歴史修正主義者たちは、実証的な歴史研究を専門的職業とする歴史家たちではなく、その限りでは学問上の論争の相手ではないにしても、その社会的な影響力は無視できるものでは決してない。否むしろ政治の世界においては、日本においては少なくとも極めて有力な位置を占めている。歴史修正主義者たちの基本的な目標は、歴史の創造主体としての個人の役割を否定し、歴史を管理・修正する主体としての国家の全面評価をすることにある。従って、国家にとって不都合な種々の歴史事実は、意図的かつ任意的に抹殺・隠蔽しようとする。歴史修正主義の本場とも言えるドイツでは、ナチズムの侵略の事実を隠蔽・歪曲し、フランスでは国民連合（旧国民戦線）に終結した人々がフランス共和制の歴史の〈見直し〉を迫っている。

私たちに求められていることは、〝歴史の管理者〟として過去の歴史を歪曲・隠蔽しようとする国家や、そうした路線に忠実な政治家や歴史修正主義者たちの犯罪性を告発し、国家からの歴史〈取り戻し〉を急ぐことにある。その危険性を自覚しながら、歴史の〈見直し〉の動きを阻むためには、より逞しい歴史意識や歴史認識を鍛えあげていくしかない。私たちは、いまや過去の克服と同時に、歴史の〈取り戻し〉と言う課題を背負うことになったのである。

それで、私たちは検討すべき課題をいくつか抱えている。そのうちのひとつだけをあげれば、歴史の忘却と記憶の問題がある。前者については、過去を隠蔽しようとする国家と、過去を忘却しようとする国民を、同時的に告発することを通じて、歴史の〈取り戻し〉と歴史認識の共有こそが求められているのであり、それが被侵略国家および国民・民族との和解の第一歩であるはずである。

だからこそ、侵略の歴史事実を相対化し、侵略戦争を単なる「過去の出来事」に追いやることで「現在としての過去」という歴史を捉える重要な視点を完全に抹消しようとする試みには、異議を唱え続けなくてはならないのである。「過去の出来事」という場合、それは侵略戦争という、あくまで日本国家にとって都合の悪い歴史事実のみが選定されて忘却の対象とされたことは、極めて悪質な歴史解釈である。

そうした意図された歴史の忘却の進行に、被侵略国家の人々はますます不信感を募らせるばかりである。なぜ、「広島・長崎への原爆投下」、「シベリア抑留」などが強く記憶され、「バターン死の行進」、「南京虐殺事件」、「シンガポール虐殺事件」、「マニラ掠奪《りゃくだつ》事件」、「ベトナム一九四五年の飢饉」などが忘却されるのか、という問題である。忘却と記憶によって歴史事実が都合よく再形成されていく事態こそ極めて憂慮すべきなのだ。ここには歴史の記憶と忘却が、ある意味で逆転されてしまっている。加害の事実から逃避するために、被害の事実を過剰なまでに意識する。

こうした課題に関連して日本とアメリカの戦争責任問題を追究してきた田中利幸は、『検証「戦後民主主義」――わたしたちはなぜ戦争責任問題を解決できないのか』（三一書房、二〇一九年）で加害責任が切り落とされた「戦争記憶」が再生産され、拡散されている現状を論じている。「戦争記憶」＝「被害記憶」化される図式の問題性である。

こうした問題に関連して日本近代政治史に関する著名な研究者の一人であるガバン・マコーマック（Gavan McCormack オーストラリア国立大学名誉教授）は、同じく著名な日本近代史研究者であるジョン・ダワー（John W.Dower マサチューセッツ工科大学名誉教授）との対談のなかで、次のように発言している。すなわち、「過去の歴史に向き合い、戦争責任の清算をせざるえない時期が来ると、あまりにも多くの日本人がそうした歴史を忘れてしまっていたり、無知であったりするのみならず、真実ではない歴史神話を信じ込むように唆《そそのか》されたのでした。日本が侵略者であると同じく犠牲者であり、欧米の帝国主義に終止符を打ち、アジアを解放するため勇敢に闘ったと思っている人は多く存在します」（ジョン・W・ダワー、ガバン・マコーマック『転換期の日本へ――「パックス・アメリカーナ」か「パックス・アジア」か――』（NHK出版新書、二〇一四年、二五六頁）と。

「心に刻《きざ》む」は、一九八五年五月八日、西ドイツ（当時）のヴァイツゼッカー（Ernst Freiherr von Weizsäcker）大統領がドイツ連邦政府で行った「荒れ野の四〇年」（永井清彦編訳『ヴァイツゼッカー大統領演説集』岩波書店、二〇〇九年、収録）の一説「問題は、過去を克服することではない。そんなことはできるわけがない。後に過去を変更し、あるいは起こらなかったことにすることはできない」としたうえで、「過去に目を閉ざす者は結局、現在にも盲目となる（原文は、Wer aber vor der Vergangenheit die Augen verschliest, wird blind für die Gegenwart）。非人間的な行為を心に刻もうとしない者は、またそうした危険に陥りやすいのだ」から頻繁に引用されることになった。

記憶と忘却の恣意的な操作のなかでは、歴史事実の確認と未来に向けた歴史認識の深まりは期待できない。侵略の歴史事実と加害の歴史事実を「心に刻む」（Erinnerung《エアインネルング》）ことによって、より社会的に加害の主体と被害の主体を明確にしていく作業を怠ってはならないのである。戦争責任問題が議論される場合、短絡的な加害論や被害論あるいは敵・味方論の議論に収斂させてしまうのではなく、まずどのようにしたら「現在としての過去」と、自分とを切り結ぶことが可能なのか、そしてどうすれば歴史の主体者としての自己を獲得出来るのか、という課題が設定されるべきであろう。

また、「文化相対主義」についても、「自民族中心主義」の呪縛から解放されるためにも、歴史の主体者としての自己の獲得は不可欠であると同時に、クリフォード・ギアツ（Clifford Geertz）が主張するように、「他者に対して、自己とは異なった存在であることを容認し、自分たちの価値や見解（＝自文化）において問われていないことがらを問い直す」姿勢が求められる（小泉潤二「ギアツの解釈」江淵一公・伊藤亜人編『儀礼と象徴――文化人類学的考察――』所収、九州大学出版会、一九八三年）。

「自民族中心主義」への対抗概念としての「文化相対主義」（cultural relativism）とは、文化の多様性を認めることで異文化を理解しようとするもの。そこでは、一つの国家、一つの民族が、それ自体恒久的な平和や安寧を獲得するためにも、何よりも人類や世界という大枠の存在や空間とどう向き合うのか、と言う意味をも含めた相対化が必要である。

「自民族中心主義」によって再生産されるのは絶対的な存在としての自己を一つの国家という空間に閉じ込めてしまうことであり、「国民」という政治概念のなかで自己を喪失してしまうことである。自己と国家や民族とを人類史や世界史のなかで、その存在性を獲得するためにも、ギアツのいう「文化相対主義」の考え方が求められているのである。

また、『想像の共同体――ナショナリズムの起源と流行』（原題は、*Imagined Communities: Reflections on the Origin and Spread of Nationalism*, Verso, 1983, 2nd edition, 1991, Revised edition, 2006）などで知られるルース・ベネディクト（Ruth Benedict）も、早くから「文化相対主義」と呼称されることになる考え方を提示していた。ベネディクトは、「文化の相対性」の用語を用い、文化の相対性というものが、皆が共有する価値をずらすことによって、当該の文化の中においても共有可能なものになることを『文化の型（文化の諸パターン）』（ルース・ベネディクト『文化の型』講談社・講談社学術文庫、二〇〇八年）で展開している。

「文化相対主義」が、これまで日本においては、小泉潤三らの積極的な翻訳紹介の実績がありながら、全体としては、この課題設定が深刻かつ真剣に議論されてこなかったがゆえに、歴史の暗部を隠蔽し、過去の〈書き換え〉を強引に要求する国家の歴史の統制に、有効な対応ができなかったのではないか。同時に戦後の平和主義や民主主義の内実を深く問うことなしに、利益誘導型・利益第一主義的な前向き課題への無条件の礼賛《らいさん》のなかで、無意識的にせよ、過去の忘却に手を貸してきたのではないのか。

同時に歴史修正主義者が跋扈する日本にあって、何故に同じ敗戦国である日本で、ドイツのような「歴史家論争」が起きないのかも問うべきであろう。歴史学者の一人としても、この問題については内心忸怩たる思いが募るばかりだ。因みに、昨年出版された武井彩佳『歴史修正主義――ヒトラー賛美、ホロコースト否定論から法規制まで』（中央公論新社・新書、二〇二一年）は、こうした問題意識に鋭く迫った好著である。取り分け、「第四章　ドイツ「歴史家論争」――一九八六年の問題提起」は参考となる。

なぜ、侵略事実を認められないのか

今日、アジア太平洋戦争であった歴史の事実は充分に論証されもしてきた。戦後日本人の戦争観や歴史解釈にしても、大方が日本の侵略戦争の歴史事実を真剣に学び取ろうとしている。また、侵略戦争を告発し続けることで過去を徹底して批判し、同時に侵略戦争を引き起こした戦前期社会と多分に連続性を孕む戦後社会をも総体として批判することで、あるべき理想社会の構築を実現しようとする運動や思想が展開もされ、深められもしている。それこそが「現在としての過去」を正面から正しく見据えることである。

その点で「過去」を単に時間系列的な「出来事」として片づけてしまうのは、決して許されるものでない。それと同時に明らかに歴史事実の歪曲・曲解・隠蔽によって、ある政治的な目的のために歴史を捏造する事は最も卑劣な行為である。いわゆる米英同罪史観、自衛戦争史観、アジア解放戦争史観、殉国史観、英霊史観などの〝歴史観〟が、これに該当しよう。

これらの歴史観に共通する事は、何れも他の人たちによって行われた犯罪によって、別の人々の背負う罪は相対的に軽減される、とする認識に立っていることである。例えば、アメリカの原爆投下や旧ソ連によるカティンの森事件など、連合国側の犯罪を取り上げ、相殺しようとする。これこそ明らかに歴史責任を放棄する考え方であり、歴史の事実を真正面から見据えようとしない無責任な姿勢である。これでは歴史のなかで生きる人々との間で、あるべき歴史認識の共有と理解により、「平和的共存関係」を創造するという平和の思想は到底生まれようがない。

そのような課題を念頭に据えながら、私は「アジア太平洋戦争」とは一体どのような時代であり、どのような戦争であったのか、そこでは戦争に至るまで、これを受容していく侵略思想がどのような段階と思想的な変遷を経つつ、どのような思想家たちによって創出されていったのか、また、戦争に至る国内の政治動向、なかでも天皇周辺や軍部の動向はどのようなものであったか、を追い続けてきた。

中国をはじめとする日本と近隣アジア諸国との戦争と対英米蘭戦争（＝太平洋戦争）とを一括りにして「ア

ジア・太平洋戦争」と称するが、筆者はこれら二つの戦争は一つの戦争として把握するために「・」を用いないで、「アジア太平洋戦争」と呼称する。対アジア戦争＝日中一五年戦争の延長として「太平洋戦争」を位置づけている。これに関しては、私が大分以前に執筆した「アジア太平洋戦争の歴史的意義――「総力戦大戦」としての世界大戦――」（日本科学者会議編『日本の科学者』（本の泉社、第五〇巻、二〇一五年一月号）及び「アジア太平洋戦争」（由井正臣編『近代日本の軌跡5　太平洋戦争』（吉川弘文館、一九九五年）などを参照して欲しい。

それで戦争という政治状況のなかに、これに関わらずにいられなかった人々、戦争による抑圧の体系のなかで人々がどのような運命を歩むことになったのかについても活写していくことが、今日における新たな「戦前」の始まりという状況との関連からも不可欠に思われる。そして、「アジア太平洋戦争」の真実に迫る試みは、今後においてもあらゆる機会を通して続けなくてはならない。現在が歴史の危機の時代であってみれば、なおさらである。この戦争が私たちに問いかけている課題はあまりにも多い。

東アジア平和共存体制構築への展望に関連して、以上の問題意識を踏まえ、今日の日本を含めた各国における歴史認識の深まりを阻害する原因として、戦争の封印や抹殺が横行する現状を批判する視点を提起すること、その前提として、とりわけ日本における現状課題として戦争の記憶の喪失状況の原因と、戦後日本人の歴史認識の現実を浮き彫りにすることが求められている。

つまり、戦争の記憶を維持し、そこから教訓を引き出すためには、平和の思想を逞しく創造し、再生産し続けることが決定的な課題として強調していることである。戦争の記憶の封印や抹殺が強行されようとし、それが数多の民衆の歴史認識の深まりを阻害する状況を打破するためには、普遍的かつ継続的な平和思想の創造と実践が不可欠であり、そのことを念頭に据えた課題意識の国境を越えた共有が求められている。東アジア平和共同体を構築する前提として、何よりも日本及び日本人の歴史認識の鍛え直しが急務である。それが急務である理由として、歴史修正主義や歴史否定主義の清算の作業を文化相対主義などの視座に立ちつつ、東アジア平和共同体構築という目標を実現するためにも不可欠なのである。

また、別の角度からすれば、東アジア平和共同体とは、〈不戦共同体〉(non-war community)である。それはEUを構成する諸国間で含意された平和の思想を実現していく実体としての国際組織そのものである。換言すれば、安全保障問題において、文字通り相互に安全保障を担保し合う関係性の創造であり、それを実体として、形あるものとして共同体という国境を越えたセーフティーネットを構築することに結果するのである。それゆえに、そこでは戦争の記憶を喪失しないために、また、戦争体験によって被害体験を強いられた人間総体を救済するためにも、まさにその意味において治癒としての平和思想の鍛え直しが急がれねばならない。

2　植民地支配の歴史をなぜ忘れたのか

喪失される植民地支配意識

次に、植民地支配の歴史の記憶を喪失した戦後日本人の姿勢を批判的に論じていきたい。そこでは、そもそも日本及び日本人が侵略戦争であった「アジア太平洋戦争」を、依然として総括し得ていない現実を浮き彫りにする。そして、最後に加害意識を忘却する役割を担った植民地近代化論の非論理性を指摘していく。そうした歴史の検証を進めながら、改めて戦争の記憶と平和の思想に関連する現代日本の思想史的状況を概観する。

ここで特に取り上げるのは、歴史認識を俎上にあげる際に避けて通ることのできない歴史課題としての植民地支配の問題である。侵略責任や戦争責任の問題と並び、ここでは「植民地支配責任」の用語を使用することにする。これまでの諸研究において、植民地支配あるいは植民地統治との用語で、戦後日本における植民地史研究は大きな成果をあげてきた。

その一方で、植民地支配を責任の用語で把握しようとする植民地支配責任の問題については、依然として共有可能な責任の所在が確定しきれていない。例えば、議論も活発に展開されてきた植民地近代化論に代表されるように、植民地支配や統治を一定程度、肯定する視座を提起する論考や発言は数多存在する。

この植民地近代化論も多様な視点からする議論百出の感があるが、そこには支配者側の視点、被支配者側の視点、植民地台湾と植民地朝鮮という植民地の所在によっても把握方法が異なる。そして、何よりも植民地近代化論が、植民地支配の責任を緩和する目的と作用を期待して論じられる場合と、実際に植民地の近代化に結果し、植民地にされた人々も一定程度豊かになった、とする積極的な評価も主張されてきた。

ただ歴史考察の対象とする場合、以下の諸点に注意する必要がある。

第一に、誰のための、何のための植民地支配だったのか、との視点から支配する側の政策や意図を明確にすること。第二に、西欧諸列強の植民地支配を排して日本が植民地者となることの意義を説く論調の、極めて恣意的な解釈の問題性を配慮すること。第三に、被植民地者間における階層分化を結果し、富裕層には植民地支配が概して好都合であったこと、である。

以上の点を確認しつつ、植民地支配による恩恵を享受できなかった経済的な意味における中間層以下の人々にとっての植民地支配の意味など、階層によって当然ながら被植民地者も受け止め方が異なることを前提とすべきである。それゆえ、植民地支配責任は植民地者側の問題であるが、被植民地者の受け止め方を勘案して支配責任の内実も変わってくるはずである。

戦後日本人の歴史認識の希薄さを、最も端的に示しているのが台湾及び朝鮮に対する植民地支配責任あるいは植民地支配意識である。歴史事実として、日本がかつて台湾及び朝鮮を植民地としていたことを知っていても、どのような歴史の背景から植民地保有に至ったのか、という関心は極めて低いのが現状である。

戦後の日本人は、被植民地の人々が、日本の支配や統治にどのような反応あるいは反抗を重ねてきたか、について知ろうとしてこなかった。ましてや現在の日本で清国が日本に敗北を喫し、下関条約において台湾及び澎湖《ペンフー》諸島の日本への割譲が決定された後に、台湾に上陸した日本占領軍に対して清国の残兵や一部の台湾住民が植民地化に反対して決起した歴史事実は殆ど忘却されている。これを台湾史では「乙未《いつび》戦争」と称する。

この他にも日本の研究者のなかには、日本と植民地化された台湾との間の戦争を「日台戦争」と呼称する研究者もいる。例えば、檜山幸夫「日清戦争の歴史的位置――『五十年戦争としての日清戦争』――」（東アジア近代史学会編『日清戦争と東アジア世界の変容』所収、ゆまに書房、一九九七年）や駒込武「国際政治の中の植民地支配」（川島真・服部龍二編『東アジア国際政治史』所収、名古屋大学出版会、二〇〇七年）などがある。また、「台湾征服戦争」（原田敬一『日清・日露戦争』所収、岩波書店・新書、二〇〇七年）や、「台湾植民地戦争」（大江志乃夫『日露戦争と日本軍隊』立風書房、一九八七年）等の呼称が提唱されている。

さらに、ここで問題としようとするのは、植民地支配が終焉を迎えた経緯についても同様に、殆ど関心を向けなかったことである。もう少し正確に言えば、植民地支配の終焉という事実が、日本の敗戦事実と連動せず、切り離されて意識されてきた。この二つの問題は深く関わっているはずなのに、戦後日本人には、敗戦体験と植民地放棄体験とが、必ずしも同次元で把握されていないのである。

勿論、その原因は戦後日本人の対アジア認識に連動している。直接的な原因としては、台湾にせよ朝鮮にせよ、被支配の時代に反日抵抗運動が存在し、いくつもの抵抗組織が形成されていた。だが、日本の敗戦により独立が獲得されたことから、例えば、フランスとアルジェリアのような植民地戦争の歴史体験を経由せず、そこには植民地の〝自然消滅〟にも似た感覚だけが残る、といった事態となったことである。

すなわち、一九五四年から一九六二年まで続けられたフランスの支配に対するアルジェリアの独立戦争は、同時にフランス軍部とパリ中央政府との内戦でもあった。一九九九年一〇月まではフランス政府では公式に「アルジェリア戦争」(Guerre d'Algérie)と呼ばれず、「アルジェリア事変」(évènements d'Algérie)や「北アフリカにおける秩序維持作戦」などと呼称された。この問題については、シャルル＝ロベール・アージュロン(Ageron,Charles-Robert)『アルジェリア近現代史――フランスの植民地支配と民族の解放――』(白水社・文庫クセジュ、二〇〇二年)や、ニコラ・バンセル(Bancel,Nicolas)他『植民地共和国フランス』(岩波書店、二〇一一年)等を参照されたい。

加えて、日本敗戦後における東西冷戦構造という、戦後の国際秩序のなかで、アメリカはアジア戦略を優位の下に進めていくために、日本を同盟国化していく必要に迫られていた。それゆえに、戦争賠償請求権を持つ被侵略諸国への働きかけが公然と行われた結果、日本への戦後賠償問題が棚上げされた。その結果、日本は植民地支配責任を問われないまま、植民地支配地域からの〝撤収〟が可能となったことである。

さらに、朝鮮は分断国家となり、日本に対して植民地責任を問う体制ではなく、中国にしても蔣介石の国民党と毛沢東の共産党との間の内戦(一九四五～一九四九年)により、これまた同様の状態下に置かれていた。東西冷戦体制の開始が日本をして植民地責任と向き合う機会を棚上げしたことは、その後の日本人の植民支配の記憶の曖昧さに拍車をかけることになったのである。

そればかりか、一九六五年六月二二日に締結された「日本国と大韓民国との間の基本関係に関する条約」

（通称、「日韓基本条約」）締結前後から、朝鮮近代化論による植民地支配正当論や肯定論が登場する。実際にも「日韓基本条約」の交渉の最中においても、朝鮮近代化論を主張する日本側の外務官僚がいた。

あまりにも有名な事実だが要約すると、第三会会談（一九五三年一〇月）に出席した久保田貫一郎日本側首席代表の発言が韓国側の逆鱗に触れた。

発言内容は次のようなものである。「日本の統治は悪いことばかりではなかったはずだ。鉄道、港、道路を作ったり、農地を造成したりもした。当時、大蔵省は多い年で二〇〇〇万円も持ち出していた。相当日本から投資した結果、韓国の近代化がなされた。もしそれでも被害を償えというなら、日本としても投資したものを返せと要求せざるを得ない。韓国側の請求権とこれを相殺しよう。当時、日本が韓国に行かなかったら、中国かロシアが入っていたかもしれない。そうなったら韓国はもっと悪くなっていたかもしれない」との内容である。これは当然にも韓国側から猛烈な批判を受けることになり、締結交渉は以後四年もの間滞ることになる。

この問題を考える場合、少々迂遠《うえん》な方法かも知れないが、そもそもアジア太平洋戦争とは、一体何であったのか、という問いを発することから始めなければならない。なぜならば、台湾・朝鮮の植民地支配、あるいは「満州国」（満州帝国）の「建国」に象徴される傀儡国家の樹立。それに加えてオランダ領インドネシアあるいは英領マラヤ、米領フィリピンなど、日本が軍政統治を強いたアジア諸国への関与の実体を問い直すことである。そのなかで、やはり最後に残る課題は、アジア太平洋戦争の評価を何処に据え置くのかという問題であるからである。

「アジア解放戦争」とする評価が繰り返され、それが大手を振って一人歩きし、一定の支持を獲得している現実をも念頭に据えて、この問題に触れてみたい。つまり、ここでは植民地支配意識の希薄さの原因として、戦後日本人のアジア太平洋戦争の総括の不十分さを指摘していきたいのである。

アジア太平洋戦争の位置

戦後日本人の多くが「先の戦争」の言葉で、今日の歴史問題として俎上に上げるのは、特に満州事変以後から日本の敗戦に至るアジア太平洋戦争を指している。しかし、アジア太平洋戦争は、先に述べたように暴力性と抑圧性を特徴とする日本の近代化のなかで引き起こされたものである以上、台湾出兵から始まる日本の対外侵略戦争全体のなかで総括する必要があろう。

「日中一五年戦争」（一九三一～四五）「太平洋戦争」（一九四一年～四五年）を同時に把握する「アジア太平洋戦争」（一九三一年～四五年）も、「台湾出兵」（一八七四年）から開始される日本の対外侵略戦争の一部を構成する歴史事実とする捉え方である。「太平洋戦争」は「日中一五戦争」の延長として起こり、満州事変に始まる「日中一五年戦争」も、「日露戦争」（一九〇四～〇五年）や「日清戦争」（一八九四～九五年）も「台湾出兵」を起因とするものと考える。まさに一つの戦争は次の戦争を用意するのである。

こうした歴史を遡及すれば、歴史の真実に肉薄できるのではないか。従って、「アジア太平洋戦争」の位置のみを確定するのは合理的ではない。そうした限界を念頭に据えつつ、ここでは取り敢えず「アジア太平洋戦争」の位置を整理しておきたい。

結論を先に言えば、繰り返しになるが「アジア太平洋戦争」は日本の対アジア侵略戦争であり、対英米戦争もその延長線上に位置づけられる。対英米戦争が日中戦争の延長であるとする纐纈の主張は、拙著『侵略戦争――歴史事実と歴史認識――』（筑摩書房・ちくま新書、一九九九年）の「第2章　日中戦争から日米戦争へ」で詳述している。

だからと言って、この戦争の性格規定に関連して数多の位置づけが存在すること自体を否定するものではない。多様な歴史認識や解釈が一定の根拠に従って説明されることは当然である。但し、取り分け対英米戦争に限定して言えば、侵略と防衛という二項対立だけで捉えるのは単純過ぎる。そこでは帝国主義間戦争、ファシズム対反ファシズム戦争など多様な側面を指摘可能であり、そうした側面は戦後の内外における歴史研究の中で活発に議論されてきた内容である。

そうではあるが、対中国戦争をはじめ対アジア戦争は侵略戦争以外の何物でもなかった点は、共通可能な歴史認識として、最終的に確定されなければならない。同時に日本の植民地統治にしても、どのような形式的な融和政策が採用されていたにしても、支配と服従という関係は歴然たる事実であり、その統治過程において強圧的な軍事恫喝や文化移入が実施されたことは間違いないことであった。この歴史事実を全否定することは、少なくとも歴史学研究上においては不可能である。

その意味で侵略戦争であることを、これまでの研究蓄積を踏まえつつ、政治信条やイデオロギーに左右されない客観的な視点や方法から十分な議論を重ねつつ確定する必要があろう。ただ、それでも全否定しようとするのは、もはや歴史学の領域ではなく、政治的信条やイデオロギーの領域に関わる政治領域に属することである。

何故、ここで歴史学の視点に拘るかと言えば、それが一国の歴史を超えて普遍的な真理に到達することを目指しているからである。一国の歴史が一国の政治の都合によって恣意的に解釈され、それが固着してしまうことは、少なくとも歴史学が望むところではない。その意味で依然として「アジア太平洋戦争」を「大東亜戦争」と呼称し、それは「アジア解放戦争」だったとする主張は政治的主張であって、歴史学研究の対象ではないことは論ずるまでもないことである。

今日の歴史問題と言われる政治争点化している議論のなかにも、「アジア解放戦争」論を主張する人々や諸勢力が存在し、それは一定の政治勢力として目立った動きをなしている。このような論者に対しては、先の戦争の性格規定をするうえで、「アジア太平洋戦争」は侵略戦争であったか、なかったかという二項対立的な判断の是非だけを問うのではなく、そもそも「アジア太平洋戦争」とは何だったのか、という最初は敢えて結論を保留する課題の設定も重要なアプローチとなってくるように思われる。

その意味で、クリストファー・ソーン（Christopher Thorne）の『満州事変とは何だったのか』（草思社、一九九四年）、『太平洋戦争とは何だったのか』（同、二〇〇五年）、『米英にとっての太平洋戦争』（同、一九九五年）の三部作は、アジア太平洋戦争を従来型の帝国主義諸国間のアジア市場の争奪をめぐる戦争、あるいはファシズム対反ファシズム（＝枢軸国対連合国）という既存の把握から、旧植民地主義対新植民地主義、あるいは脱植民地主義をめぐる植民地保有国間の戦争という解釈を提供している点で注目される。

そのような課題設定からは、多義的かつ重層的な把握の試みが可能であり、同時に、なぜ「解放戦争」だと主張するかの背景を探ることにもなる。確かに、この課題設定が「アジア解放戦争」論を許容する可能性を含むとしても、そのような結論をも最初から否定してはならない。むしろ、今日において具現されているように、「解放戦争」論が再生産・再浮上するような、戦後日本人の歴史認識や歴史環境の有り様を問うためには、不可欠な課題設定である、と言って良い。

私たちには、既に多くの「アジア解放戦争」論を否定する歴史研究の蓄積がある。勿論、その全てが共有されているとも限らないし、この国の歴史認識の不在状況を目の当たりにする場合、そのことをも自覚的に捉えておく必要もあろう。それゆえにこそ、最初に結論ありきではない課題設定が求められてもいる。

既にこれまで私は様々な場で「アジア太平洋戦争」を捉える視点について論じてきた。なお、これに関する論稿として私は本論で展開する内容については、拙論「アジア太平洋戦争とは何だったのか」（植民地文化学会編『植民地文化研究』第六号、二〇〇七年六月、不二出版）で詳述している。これについても以下において簡単に要約しておきたい。

「アジア解放戦争論」の根拠

相変わらず繰り返される「アジア太平洋戦争」が「アジア解放戦争」であったのか、あるいはなかったのかの問題を論ずる場合には、戦争の直接の担い手であった戦争指導層（＝戦争主体）の掲げた戦争目的を検討すること、つまり、そこでは今日まで喧伝される「アジア解放戦争」論の根拠を探る作業が重要である。焦点は「アジア解放」なる大義名分を掲げ、戦争の本当の目的を隠蔽する必要に迫られていた戦争指導層の位置の確認である。

次に現時点におけるアジア諸国民のアジア太平洋戦争についての評価・判断である。アジア近隣諸国の被侵略諸国では、当然ながら評価・判断に温度差があるが、共通して指摘可能なことは、その戦争が明らかに日本の侵略戦争であり、植民地化による支配の強行であるとの認定である。このことについては、当該期の史料や証言を踏まえた研究成果の進展もあって、その認定は一段と強固なものとなっている。

勿論、そのなかには政治的な思惑、所謂政治カードとして応用され、拡散されているものがあることも確かだが、日本とアジア近隣諸国との国境を越えた共同研究なども実に多様な形で展開され、多くの実績をあげてきた。現在ではその争点が戦争の性格規定をめぐる論争より、何故日本が侵略戦争を選択してしまったのか、というレベルでの研究に焦点化していると言って過言ではない。残念ながらその研究蓄積を等閑に付す恰好で、歴史事実を無視し、曲解や捏造あるいは自国に都合の良いように解釈をするケースが、特に日本において顕在化していることも見逃すことはできない。

少し時間が経過したが、その一例として、吉見義明（現在、中央大学名誉教授）が日本維新の会（当時）の桜内文城衆議院議員（当時）を名誉毀損で訴えた裁判（以下、通称「吉見裁判」）において、二〇一六年一二月一五日、東京高等裁判所第一九民事部は吉見氏の控訴を棄却する判決を出したことが挙げられる。桜内議員は長年にわたり、従軍慰安婦問題の実証的研究で実績を持つ吉見の研究成果を「捏造」と公言していた。しかし、歴史研究は確実に進展しており、それが取り分け日本社会において共有化されることを期待したい。

日本においては、現在注目が集まっている憲法改正論議のなかで、直接的に歴史認識の中身を問う議論は多くはないが、現行憲法は先の戦争を明らかに侵略戦争だとする歴史認識を示した憲法であるために、憲法改正論者の多くによって、「アジア解放戦争論」が繰り返し主張されている。これは戦後日本社会及び日本人の歴史認識に関わる問題である。要するに、憲法改正論者たちは、侵略戦争の歴史認識を示す現行の日本国憲法が目障りなのである。憲法改正の衝動を抑え切れないのは、侵略戦争論を何としても打破したい、とする欲求が潜在しているからである。

それゆえ、現在の日本社会に具現される軍国主義化・右傾化の問題と連動させつつ、侵略・植民地責任をどのように克服していくのか、という今日的な問題への肉迫が要請される。この作業を進めていくなかで、歴史修正主義の克服と同時に、歴史問題の解決の糸口を摑み、侵略と被侵略、植民地支配と被支配という対立関係の歴史背景を学び取ることを通して、歴史和解への途に進むべきであろう。そのことが結局は、「信頼醸成」への目標に到達する唯一の方法と言って良い。

「信頼醸成」とは、本来「信頼醸成措置」（CBM= Confidence Building Measures）の用語で知られる軍拡不拡散の外交用語として使用されてきた経緯がある。「信頼醸成」の英語訳は、trust building または

confidence building であり、直訳すれば「信頼構築」である。信頼を醸《かも》し出すという、やや消極的な言い回しより、築き上げる（building）という主体的かつ積極的な言い回しが妥当にも思われる。

　同時にそのことを達成・実現しなければ、アジア平和共同体の構築は極めて困難である。共同体構築の障害となっている経済格差や政治体制の差異など多くの課題が存在するが、歴史認識の乖離も実に大きな克服すべき課題なのである。

加害意識の希薄さの原因

　日本人の加害意識の希薄さの原因は、多様な面から指摘可能である。戦後日本人は、欧米の植民地保有国との比較においても、植民地支配意識が希薄である。植民地で生を受け、学び働き生活を営み、そこから引き上げてきた人々にとっては追憶の対象であり得ても、被植民地及び日本の軍政統治下で呻吟した、かつての非植民地諸国民にとって、支配の実際は耐え難い思いとして記憶されている。問題は、そのような非植民地地域の人々の思いとの乖離を戦後日本人の多くが無意識のうちに養ってきたことである。その乖離が生じた理由には、言うならば外在的な理由と内在的理由とに分けられる。

　このうち私たちが問うべき外在的な理由とは、言うまでもなく折からの東西冷戦構造のなかで、かつての被植民地諸国及び被軍政統治国で権威主義的な政治体制が敷かれ、日本への不満が抑圧され続けてきたことである。取り分け、韓国では軍事政権下でかつての植民統治を批判し、補償を求める運動や声が、日本の経済支援を期待する軍事政権により圧殺され続けたことである。

　既述したように、日韓基本条約は日本からの経済支援と引き換えに日韓間の歴史問題を封印する結果となった。日本は、朴正熙《パクチョンヒ》大統領による権威主義的政権を支えることで経済的利益を引き出したばかりか、これらの諸国民が蓄積した日本の戦争責任を問う声に耳を塞ぐことができた。

こうして、日本敗北と同時に台湾も朝鮮も、あるいは軍政統治下にあったアジアの諸地域も解放されたにもかかわらず、解放後、彼等彼女らは、被支配の怨念や反発を発揮する機会を悉《ことごと》く奪われてきたのである。彼等彼女等の日本の戦争責任を問う声が、ようやく日の目を見るのは冷戦時代が終焉を迎えた、実に一九八〇年代以降のことであった。日本人は、自らがかつて植民地保有国であることは知っていても、植民地支配の実態については関心をさほど持ち合わせていない。その一方では、植民支配経験を積んだ台湾や朝鮮、そして、日本の軍政統治下に置かれたインドネシアやフィリピンなど東南アジア諸国では、統治支配によって一定程度の近代化を果たしたのであり、それに日本の支配や占領は貢献したのだ、という言説の振り撒きが後を絶たない。

再生産される「アジア解放戦争」論

それでは今日まで「アジア解放戦争」論が、何故再生産されるのであろうか。そのことを知るために、先ず日本の対英米蘭開戦にあたり、一九四一（昭和一六）年九月六日の御前会議で決定された「帝国国策遂行要領」の内容を取り上げる。原文は片仮名である。読み易くするため濁点、句読点など付している。以下、同様である。

その冒頭には、「帝国は自存自衛を全《まっと》うする為対米、（英、蘭）戦争を辞せざる決意の下に概《おおむ》ね十月下旬を目途として戦争準備を完整す」（参謀本部編『杉山メモ』（上巻、原書房、一九六七年、三一二頁）と記した。これを受けて、戦争目的について明確にされたのは、同年一一月一一日の大本営政府連絡会議においてである。

そこでは、「対英米蘭戦争名目骨子案」が検討され、「自存自衛」の用語が使われた。この用語は侵略戦争を正当化するための、無理やり案出された用語となったが、当時にあっては、戦争目的を国際社会に向けて発信する必要に迫られ、苦肉の用語として案出されたものであった。しかし、「自存自衛」のスローガンは一定の認知を国民各層から受けることになり、侵略戦争を否定する用語として機能していく。

勿論、当時にあって戦争の本質を隠蔽する「自存自衛」のスローガンに異議を唱えた政治家も存在した。その代表格が一九四〇（昭和一五）年二月二日、帝国議会（衆議院本会議）の場で軍部主導による日中戦争を批判した「支那事変処理に関する質問演説」（通称「反軍演説」）が直接の原因となって衆議院から除名されることになった斎藤隆夫である。斎藤は「自存自衛」スローガンについて、「日本の大陸発展を以《もっ》て帝国生存に絶対必要なる条件なりと言はんも、自国の生存の為には他国を侵略することは可なりとする理屈は立たない。若《も》し之《これ》を正義とするならば切取強盗は悉《ことごと》く正義である。」（川見禎一編『斎藤隆夫政治論集』（斎藤隆夫先生顕彰会、一九六一年、二三三～二三四頁）と喝破したのである。

さらに続けて、「此の戦争の責任を塗抹《とまつ》（覆い隠すこと）せんが為に次から次と種々の理屈を考え出し、曰く肇国《ちょうこく》（建国の意味）の精神である。「八紘一宇《はっこういちう》」の理想である。神武東征の継続である。自存自衛の為である。東洋民族の解放である。共栄圏の確立である。道義戦である。聖戦である。其の他ありとあらゆる理由を製造して国民を欺瞞《ぎまん》し、国民を駆って戦争の犠牲に供する。」（同前、二三六頁）と論断し、その欺瞞に満ちた用語への徹底した批判を展開していた。しかし、この斎藤の批判は侵略戦争を正当化するに躍起となっていた東条英機内閣により無視され、同時に当時のメディアもこの用語を受容していく。

同年一一月一五日開催の第六九回大本営政府連絡会議の席上、「対南方戦争名目に関する件」が審議され、その結果として、翌一六日に大本営政府連絡会議が「対英米蘭戦争終末促進に関する腹案」が作成された。そこには、戦争目的を「速に極東に於ける米英蘭の根拠を覆滅《ふくめつ》して自存自衛を確立する」（前掲『杉山メモ』

上巻、五二三頁）ためと記されている。

「自存自衛」を戦争目的として強く主張したのは陸軍側であったが、一方の海軍側は、さらに、「大東亜共栄圏」あるいは「大東亜新秩序」の建設をも戦争目的とすることを主張した（波多野澄雄『太平洋戦争とアジア外交』東京大学出版会、一九九九年。特に第1章「対英米蘭開戦と戦争終結構想」を参照）。要するに、対欧米蘭戦争と前後して開始された東南アジアへの侵攻をも踏まえ、その侵略戦争の内実を隠蔽《いんぺい》するために、自給自足の確立による戦争国家体制の確立を内容とする「自存自衛」をスローガンとしたのである。併せて、太平洋方面の戦面拡大の状況を踏まえ、「大東亜」という新たな地理的概念を用い、同地域における日本の覇権を確保するため、「大東亜新秩序」の用語が創出される。

その意味では、陸・海軍間での戦争目的をめぐる相克は、侵略主義の強行という選択において、相互に矛盾するものではなかった。但し、軍事史研究者が指摘するように、短期決戦を志向する海軍と長期戦を覚悟していた陸軍との戦略上の相違から、海軍及び海軍系の指導者のなかには、「大東亜新秩序」の建設という膨大な国家戦略の構築には消極的であった者も多い。

それゆえ、同年一二月八日の対英米開戦の後に開催された一二月一二日の閣議（東條英機内閣）において、日中全面戦争（一九三七年七月七日）を起点とし、対英米蘭戦争に至る戦争を《大東亜戦争》と呼称することを決定した後でも、この戦争目的をめぐる陸・海軍間の角逐は必ずしも解消されなかった。しかし、総力戦段階に突入した後には、この問題が表面化することは無かった、と言ってよい。

虚妄の植民地解放の言説

所謂《大東亜戦争》の呼称が使用され始めると同時に、西欧諸列強から植民地にされていた諸国を解放する、といった戦後繰り返し主張される「アジア解放戦争論」が流布されるに至る。しかし、インドネシアやベトナムなど東南アジアへの侵攻の目的が戦争資源の確保にあることは明々白々のことであった。例えば、一九四一年一一月二〇日、大本営政府連絡会議で決定された参謀本部作成の「南方占領地行政実施要領」には、占領地における資源確保を「重要国防資源」と位置付け、戦争動員計画に盛り込む意図を明確に記していたのである。

その内容は「第二要領」で以下のように記されている。そのうち、一、二、七項だけ記しておきたい。

一　軍政実施に当たりては極力残存統治機構を利用するものとし、従来の組織及民族的慣行を尊重す。

二　作戦に支障なき限り、占領軍は重要国防資源の獲得及開発を促進すべき措置を講ずるものとす。占領地に於《おい》て開発又は取得したる重要国防資源は之《これ》を中央の物動計画に織り込むものとし、作戦軍の現地自活に必要なるものは右配分計画に基き之を現地に充当するを原則とす。

七　国防資源取得と占領軍の現地自活の為《ため》、民政に及ぼさるるを得ざる重圧は之を忍ばしめ、宣撫《せんぶ》上の要求は右目的に反せざる限度に止むるものとす」

と記されていた（前掲『杉山メモ』上巻、五二七頁）。

こうした対英米開戦期における日本政府および日本陸海軍の戦略なきアジア侵略の結果、アジア民衆の反日運動と抗日戦争に敗北していく。しかし、戦後、日本のアジア侵略の歴史事実が戦後冷戦構造の背後に隠れ、その歴史事実を充分に精査する機会が奪われていくなかで、表に浮上してきたのは、御都合主義的な日本の対アジア戦争観であった。

それは一九六〇年代における日本の対アジア貿易が活発となっていく過程で、経済関係の深まりが歴史事実の掘り起こしの意欲を失わせていった。そして、歴史の精算よりも経済関係の強化が謳われ、日本のアジア侵略、加害の歴史が後方に追いやられていく。それと入れ替わるように、日本との経済関係を強化することによって、復興と発展を期そうとするアジア諸国の指導者たちは、過去における日本の加害事実に沈黙していった。日本との経済関係強化により経済発展を推し進めることで自らの政権安定をも図っていったのである。

そこでは「開発独裁」と呼称されることになる近代化・工業化＝「開発」のためには、大統領権限の最大化＝「独裁」による発展が至上目的とされた。その結果として、日本による加害の後遺症に苦しみ、生活苦を強いられる数多のアジア民衆の声が掻き消されていくことになった。

例えば、インドネシアのスハルト（Soeharto, Haji Muhammad Soeharto）は、大統領として三〇年以上在任し、開発独裁政権として強権政治を敷いた。同様に韓国の朴正熙大統領、フィリピンのマルコス（Ferdinand Edralin Marcos）大統領、台湾の蔣介石総統も同様の強権政治を行った。様々な思惑から戦後にアジアにおけるかつての日本による被軍政統治諸国からも、先の戦争が「アジア解放戦争」としての意義が存在した、とする主張がなされるようになったことは事実である。それゆえ当時の日本が、これらの諸国や諸地域に一体どのような姿勢で臨んでいたか、を吟味する必要がある。

ここで、あらためて戦時期日本政府の植民地政策の特徴を整理しておく。

第一に指摘すべきは、当時外務省を中心に、「主権尊重の原則を貫くことによって英米流の植民地主義に陥ることを防ぎ得る」（前掲『杉山メモ』下巻、一〇〇～一〇三頁）との判断から、形式的には極力「独立」や「自治」を与える約束をなし、占領統治の円滑化や国際的な批判の回避を意図していたことである。そこでは英米流の植民地主義批判を展開することで、日本の植民地支配や覇権貫徹の意図を曖昧にし、事実上は支配を確定していく方法を採用しようとした。

日本政府は、これらアジア諸国から「戦略資源」を確保することが戦争目的であり戦争継続の手段とする赤裸々な帝国主義や侵略戦争の本質を隠蔽した。そして、アジア諸国民からの反発を回避して、統治の円滑化を図るためには、相応のリップサービスを繰り返すことになったのである。

第二に、そうした政策を推し進めるためには、当地の指導者や名望家の取り込みが果敢に実行された。取り分け、第一次世界大戦を契機とする「民族自決主義」の国際的潮流を無視することはできず、それまでの植民地保有国は、被植民地者の独立志向を力で押さえ込む従来型の植民地統治の見直しを迫られていたのである。そのような国際潮流への対応のなかで、日本は当地の指導者へ「独立」や「自治」、さらには「解放」の約束をし、経済的支援を惜しまなかった。そうした日本の統治方針が根底に存在したのであり、本心から「独立」「自治」「解放」の機会を提供しようとした訳では決してなかった。その結果、戦後において、日本の戦争が「独立」や「解放」に貢献したのだ、という言説は日本発だけでなく、被植民地諸国からも発せられることになる。

例えば、戦後における日本の「政府開発援助」（ODA＝Official Development Assistance）を中心とする経済支援を期待する余り、勢い親日スタンスの表明が不可欠であったことである。かつての戦争を負の問題として精算の対象とするのではなく、そこに形式的な「意義」をも指摘することで、「友好関係」の起点とし、日本との距離を縮めておくことは政策的にも必要なことであったのである。また、これらの言説の持ち主は、多かれ少なかれ、かつての有力者で名望家層に属する政治家たちであり、民族資本家たちであった。彼らは、直接に日本軍による犠牲を強いられた人々ではなく、日本との連携のなかで利権を獲得できた人々であった。その人々が日本の貢献を口にするのは抵抗感がないばかりか、むしろ日本との親近感を表明することによって自国内で、一層の有力な地位を占めようとする政治家たちであったのである。

アジア太平洋戦争の評価

一九世紀に始まる欧米諸国の植民地主義は民族自決やデモクラシーの勃興など、新しい世界史の動きのなかで、植民地主義自体も改編を余儀なくされていた。このことは当然ながら日本の植民地政策にも影響してくる。それが戦争目的をめぐる陸・海軍の相克《そうこく》の問題以上に、重要な問題として浮上してくる。それは軍政統治地域における「独立」あるいは「自治」の容認の是非をめぐる判断を迫られてくるという問題である。

この問題には、当該期における陸・海軍部が東南アジア侵攻作戦の終了後、如何なる占領地施策を企画し、実際に実行したかを押さえる必要がある。占領地施策は戦争終結構想と連動しており、軍事占領を行った後は、速やかに軍政統治に移行すること。そのうえで、資源獲得と治安回復を確保し、基本的に軍政統治を実行する。その後でインドネシア（蘭印）などは、対日協力の現状を評価したうえで主権の回復、すなわち、「独立」や「自治」を許容する方向を検討するとしている。

既述の参謀本部作成「南方占領地行政実施要領」以外にも、多くの関連文書が作成されていく。そこではフィリピン、ビルマの「独立」が検討された。フィリピンは対米作戦、ビルマは対英作戦の遂行上、親日政権を樹立させ、「独立」との引き替えに反米・反英運動を喚起し、安定した対日協力を引き出すことが意図されていたに過ぎない。

ただ、「満州国」（「満州帝国」）統治に象徴される中国占領地での傀儡政権型統治の限界が露呈された段階で、形式的であれ間接的であれ、「独立」を容認することで、統治の円滑化と国際社会からの批判を回避する必要性があった。その点は特に外務省側から強く打ち出されていた。当該期において、軍部と外務省との間で占領地の処遇をめぐる対立が表面化しつつあったのである。

外務省の基本スタンスはフィリピンの独立、蘭印《インドネシア》はインドネシア連邦（セレベス、ジャワ、スマトラで構成）、蘭印のボルネオ、ニューギニア、チモールは連邦の属領、英領シンガポールは帝国領土に編入、英領マラヤは帝国の属領というものであった。しかし、これら外務省案に陸・海軍部は基本的に反対であった。

外務省側の見解は、第九五回連絡会議（一九四二年三月一四日開催）における山本熊一外務省東亜局長の説明に示されている。例えば、連絡会議において鈴木貞一企画院総裁（予備役陸軍中将）が「独立せしむると言ふも実質的独立には非《あら》ずして相当の干渉を受くる独立ならずや、何《いず》れにせよ今より独立と決定するは過早《かそう》なり」と発言したのに対し、に山本局長は、「高度の自治より独立に進むと言ふことも考慮し得べきも、何《いつ》れ独立せしむるものならば今の内に決定して置くを可とす」と切り返している（前掲『杉山メモ』下巻、一〇二頁）。

外務省側が軍事戦略上、重要地域を除き、フィリピンやインドネシアなど、部分的ながら占領地の「独立」を提案していた最大の理由は、既に指摘しているように、「主権尊重の原則を貫くことによって英米流の〈植民地主義〉に陥るのを防ぎ得る」からであった。すなわち、外務省は、「戦略資源の確保」という戦争目的及び戦争継続手段という赤裸々な帝国主義的、かつ膨張主義的な侵略戦争の本質を自覚していたのである。それがゆえに、表向き大義名分なき対アジア戦争を遂行するうえで障害となる可能性の高い、アジア諸国民からの反発を回避するために、旧態依然たる欧米流の植民地主義とは一線を画す必要に迫られていたのである。

同時に、取り分けアメリカの植民地であったフィリピンでは、既に一九三四年三月二四日、「フィリピン独立法」（Tydings-McDuffie Act）がアメリカの連邦議会で成立しており、日本の軍政統治が続行されるとなれば、日本の領土的野心が一層明白となることへの警戒感も存在していた。加えて、日米開戦後、一年余を経過しての対米和平構想があり、そのためにも対米交渉の障害を解消しておく必要にも迫られていたのである。

フィリピンのケースに特徴的であった軍部をも含めた形式的「独立」容認論は、しかし、対米和平の可能性が低下するに伴い消滅することになる。そのことは独立論や解放論が、アメリカを筆頭にイギリスやオランダなど植民地宗主国への牽制以上のものではなく、所詮は日本側の戦争目的及び戦争手段の隠蔽措置として位置づけられていたことを意味していたのである。

ここで留意すべきは、外務省が強く主張し、一時期の陸海軍部をも「独立」容認に傾かせた最大の理由が、第一次世界大戦を契機とする「民族自決」原則の確立という国際政治思想潮流であったことである。すなわち、第一次世界大戦は、帝国主義諸国家の資源や市場を求めての争奪をめぐる戦争であり、そのターゲットにされたのがアジア諸国家や諸国民であった。

要するに、勝敗の帰趨とは別次元で、この世界大戦は、帝国主義国家が従来進めてきた植民地主義の根本的な修正を迫る一大契機ともなったのである。

既に述べた通り、帝国主義国家の占領地域への統治形態として、従来型の植民地統治は許容されない反植民地主義の潮流が渦巻いており、ピーター・ドウス（Peter Duus）の言葉を借りるならば、文字通り、「植民地なき帝国主義」の時代に入っていたのである。ドウスは満州事変による「満州国」建国で「民族自決」を掲げ、日中戦争期に日本の軍事占領地においても「独立」や「自治」が統治政策として採用されたのは、第一次世界大戦を契機とする民族自決の国際潮流が背景にあったからだ、と指摘している（ピーター・ドウス他編『帝国という幻想――「大東亜共栄圏」の思想と現実』一九九八年、青木書店、参照）。

また、有馬学は、「誰かに向かって語るのか〈大東亜戦争〉と新秩序の言説」（酒井哲哉編集『岩波講座「帝国」日本の学知　第1巻「帝国」編成の系譜』岩波書店、二〇〇六年）において「植民地主義が正当性を喪失したことを前提にオルターナティブとしての民族自決主義を否定しようとした共栄圏は、「植民地なき帝国主義」のパラダイムに拘束されつつ、それを超えようとした広域秩序論であり、そこに理論的な困難も存在したといえる」（同書、二六〇頁）と記した。

植民地領有が帝国主義国家の成立条件であったとすれば、その条件を保守することが不可能となったとき、代替案として検討されたてきたのが「独立」、「自治」、「解放」という用語によって示された、新たな帝国主義存立への模索であったのである。満州事変によって日本の傀儡国家として建国された「満州国」とは、その意味において既存の植民地主義から、新たな植民地主義（新植民地主義＝Neocolonialism）の試みとしてあったとも位置づけられる。

アジア太平洋戦争の定義

「アジア太平洋戦争」の呼称は、「日中一五年戦争」や、「アジア・太平洋戦争」などと異なり、日本の対アジア侵略戦争と帝国主義諸国間の戦争である対英米戦争との接合性を重視した視点を強調している。但し、「太平洋戦争」の呼称は、日本敗戦後、連合国軍最高司令部（GHQ）の通達によって、それまでの「大東亜戦争」に代わり、使用が義務づけられた。これによって、特に今回の戦争が「対米戦争」であるという矮小化が行われた。

「アジア太平洋戦争」の呼称は、「日中一五年戦争」や、「アジア・太平洋戦争」などと異なり、日本の対アジア侵略戦争と帝国主義諸国間の戦争である対英米戦争との接合性を重視した視点を強調している。この呼称については、少々古い論文だが、纐纈厚「アジア太平洋戦争」（『十五年戦争史3　太平洋戦争』青木書店、一九九〇年、収載）を参照されたい。

このアジア太平洋戦争の性格を検討する場合、戦争主体の戦争目的がどこに置かれ、それが非当事者側にどのように評価されているか、について客観的に捉えることが要求される。既述の如く私自身は、「大東亜戦争」と呼称されていた「アジア太平洋戦争」が、間違いなく侵略戦争だと判断している。

また、多様な世論調査によっても、同戦争が侵略戦争であると断定的に回答する率は三、四割に達しており、これに「侵略的」な戦争、あるいは「侵略性」の高い戦争とする認識を抱く者も含めれば六、七割の者が温度差は勿論含みながらも、ほぼ侵略（的）戦争とする認識を示している。特に現在二〇歳代では確実に侵略戦争観を抱いている。こうした今日における戦争の評価を踏まえて、いま一度アジア太平洋戦争の戦争主体が設定した戦争目的は、一体何であったかを確認しておきたい。

これに関連してジョン・W・ダワーは、日本人の多くは先のアジア太平洋戦争は侵略戦争だと認識しているとして、次のように述べている。すなわち、「いまのほとんどの日本人もまた、この15年戦争は侵略戦争だったとみとめている。外国メディアがくりかえし、日本人右翼の見解を強調する結果、日本には戦争にたいする真摯で批判的民衆意識があると想像する余地もなくなってしまうために、このことは日本人以外の人にとっては、驚きと思えるかもしれない」（ダワー『忘却のしかた、記憶のしかた』（岩波書店、二〇一三年、「第3章　愛されない能力」、一二三頁）と。

それを知るために、一例として南方進駐の形式で開始された所謂「南方進出」の意図を探っておく。開戦の前年である一九四〇年八月一六日に閣議決定された「南方経済施策要綱」には、「基本方針」として、「一、南方経済施策の目標は支那事変処理上並に現下世界に生成発展を見つつあるブロック態勢に対応する国防国家建設のため皇国を中心とする経済的大東亜圏の完成にあり」と明確に示したうえで、その施策の目的はより具体的には「皇国の軍事的資源的要求を基礎とし」としている。

「南方経済施策要綱」には、この他に「二、南方各地帯、地域の経済施策の軽重緩急は左記による。イ、仏領印度支那、泰国《タイ》、緬甸《ビルマ》、蘭領印度《インドネシア》、比律賓《フィリピン》、英領馬来《マレー》、英領ボルネオ、葡領《ポルトガル》チモール等の内圏地帯の施策に重心を置き、英領印度、濠洲《オーストラリア》、新西蘭《ニュージーランド》などの外圏地帯は第二段とす。ロ、各地域の施策は皇国の軍事的資源的要求を基礎とし、内外の情勢を顧慮して緩急その序《はじまり》により適宜之《これ》を行ふ。三、南方経済施策に当《あた》りては、之等地域に皇国政治勢力の扶植に努む」など日本の南方攻略作戦の目的が赤裸々に記されていた。同史料は、国立公文書館所蔵『公文別録87』（ゆまに書房、一九九七年、二五九～二六五頁）に収載されている。

日本の戦争目的は、「大東亜共栄圏」あるいは「大東亜新秩序」の建設及び「自存自衛」に概ね置かれていた。それは表向きの戦争目的であり、事実上の戦争目的は、東南アジア方面への武力侵攻を控え、一九四一年一一月二〇日、大本営政府連絡会議が決定した「南方占領地行政実施要領」において明瞭に語り尽くされている。

例えば、「第一　方針」として、「占領地に対しては差し当たり軍政を実施し治安の恢復、重要国策資源の急速獲得及作戦軍の自活確保に資す」（参謀本部編『杉山メモ』（上巻、原書房、一九六七年、五二六頁）とし、ボーキサイト・錫《すず》・石油・ゴム・タングステン等の重要戦略資源を獲得にあることを明確にしている。そして、現地住民への対応については、以下のように記す。

すなわち、「原住土民に対しては皇軍に対する信倚《しんい》（信頼の意味）観念を助長せしむる如く指導し、其の独立運動は過早に誘導せしむることを避くるものとす」と。

ここでは占領地における自発的な独立運動の高揚を警戒するとともに、独立運動自体をも日本軍が管理統制下におくことを明記しているのである。同様に、一九四一年一二月一六日に閣議報告された「南方経済対策要綱」においても、「第一　方針」として、「一、重要資源の需要を充足して当面の戦争遂行に寄与せしむるを主眼とし、併《あわ》せて大東亜共栄圏自給自足体制を確立し、速かに帝国経済の強化充実を図るものとす　二、本要綱に於《おい》て対象とする地域は蘭印、英領馬来及「ボルネオ」、比律賓《フィリピン》、「ビルマ」其他皇軍の占領地域（以上甲地域）、仏印、泰（以上乙地域）とす　三、甲地域に対しては対策を二段に分ち、第一次対策及第二次対策とし夫々《それぞれ》左の方針に依るものとす（一）第一次対策（イ）資源獲得に重点を置き之が施政に方《あた》りては戦争遂行上緊要なる資源の確保を主眼とす（ロ）南方特産資源の敵性国家に対する流出を防止すべく凡《あら》ゆる措置を講ず（ハ）資源獲得に方りては極力在来企業を利導協力せしめ且帝国経済力の負担を最少限度に迄軽減せしむる如《ごと》く努む」（石川準吉編『国家総動員史　資料編』第八巻、国家総動員史刊行会、一九七九年、五二四〜五二六頁）と記されていた。

帝国日本のアジア支配の実相

このような独立運動への警戒感は、基本的に実際の占領地行政にも反映され、独立運動の管理・統制が徹底されていく。つまり、状況に応じて抑圧あるいは弾圧という手段が採用されることになったのである。フィリピンやビルマなどの「独立」許容論が、戦争資源の獲得と対米英和平交渉及び圧力という政治的かつ軍事的な判断を根拠としていたことは既述の通りだが、あらためて、ここでは「大東亜戦争」が「アジア解放戦争」だとする理由付けに繰り返し引用されるフィリピンとビルマの「独立」の実態を概観しておく必要があろう。

例えば、一九四三年六月二六日、大本営政府連絡会議が決定した「比島独立指導要綱」には、フィリピンの「独立」許容の条件が、日本への全面的な軍事協力、米英への即時戦争宣言にあるとしている。

例えば、「比島独立指導要綱」の「別冊　新比島及日比間の基本形態」には、「六　帝国の対比施策の要は比島をして努《つと》めて比島人の創意と責任とに依り、真に大東亜共栄圏の一環たる独立国としての名実を備《そな》へしむるに在り　八　帝国は比島政府内に所要の期間必要なる顧問を配置し、之が指導に任せしむ　九　『ミンダナオ』島に就《つい》ては其の軍事的経済的重要性に鑑《かんが》み特別の措置をとることあり」（前掲『杉山メモ』下巻、四三五頁）と記されている。

要するに、戦争国家日本を下支えする存在として、その協力を効率的に引き出すための方便として「独立」の許容が認識されていたのである。但し、「独立」許容のスタンスは表向き放棄する訳にはいかず、そこか

ホルへ・ヴァルガスと本間雅晴第 14 軍司令官
出典）Meeting of Jorge B. Vargas, a secretary of President Manuel Luis Quezon y Molina and Homma Masaharu, a general Lieutenant of Imperial Japanese Army on February 20, 1943

ら従来の植民地統治機構とは異なった新統治機構の構築が検討されていく。フィリピンの場合には国政運営の担当者にはフィリピン人の意志を尊重しつつ、実際上は立法権や行政権には厳しい制約を課す方針で臨んだ。

占領地における政党活動についても、「新比島奉仕団」(カリバピ)のような「満州国協和会」を見本とする大政翼賛型の一大国民組織が利用された。フィリピン人の自発的な独立運動や独立へのエネルギーが吸収され、矮小化されるための組織であった。一九四二年五月六日に日本軍はフィリピンを占領する。そして、ホルへ・ヴァルガス(Jorge Bartolome Vargas)に指導されたフィリピン行政委員会と称する臨時政府を設立した(前頁の写真参照)。その政府を支えたのがカリバピであり、それはフィリピンで唯一の国家ファシスト党として日本のフィリピン統治に全面協力していく。

カリバピ(KALIBAPI又はタガログ語でKapisanan sa Paglilingkod sa Bagong Pilipinas)は、最盛時約八〇〇の支部と、会員数一五〇万名を擁する組織とされ「盛上る東洋的氣魄《きはく》　奉仕團員既に六十萬」(マニラ特電五月四日発)の見出しで同組織を紹介していた(『東京日日新聞』(一九四三年五月六日付)。一方、満州国協和会の会員は約四〇〇万人とされた。フィリピンの統治は、「満州国」をモデルとする研究上の指摘がある。

次に帝国日本による植民地経営の観点から見ていくとどうなるであろうか。戦前期日本は、「本土」を基点として同心円的な拡がりを見せ、取り分け台湾と朝鮮の二つの直轄植民地を中心としながらも、アジア太平洋戦争が終わるまでには、日本、「満州」(中国東北部)、中国の結合による「東亜新秩序」の形成が目標とされた。さらにその「日満華」を核とした「大東亜共栄圏」という、より広大な地域を対象とする経済圏が形成されることになった。

それは、イギリス、フランス、そして、アメリカなど先発の資本主義諸国がすでに形成しつつあった固有の経済圏との対抗関係のなかで模索されたものであった。資本と技術において劣勢に立たざるを得なかった日本は、その劣勢を挽回するために軍事力への過剰な依存体質を身につけていく。帝国日本は日清・日露戦争を皮切りに、第一次世界大戦後には南太平洋のミクロネシアを領有する。さらにアジア太平洋戦争下では、東南アジアへの軍事占領政策を断行することで、当該地域をも実質的な植民地化に成功していった。

これに関連して、「帝国」日本の本体たる「本土」を基軸に、直轄植民地（台湾・朝鮮）――傀儡国家「満州帝国」および半植民地化された中国――軍事占領した英領マレー、蘭印、フィリピン等の支配地域が、日本を中心点に二重三重に帝国日本を囲い込むように形成されていったのである。これら支配地域は直接的な戦争や軍事力による威嚇によって獲得されたが、それら支配地域の持つ価値は決して一様ではなかった。日清戦争の「戦利品」として領有することになった台湾及び澎湖諸島は、本土では充足できなかった砂糖や樟脳《しょうのう》など一次産品の生産地としての価値が重視されることになる。朝鮮は将来的に大陸国家日本へと飛躍していくための進出拠点（橋頭堡）として、その価値が意識されることになった。

つまり、それぞれの支配地域には、経済的価値、軍事的価値など多様な価値付けがなされていたのである。そのような価値付けが、帝国日本の指導者あるいは国民意識において統一的に行われていたとは言い難いものの、「アジア太平洋戦争」において獲得された東南アジアや太平洋地域諸島の価値付けが明らかにされていた。

例えば、一九四三年五月三一日、御前会議において決定された「大東亜政略指導大綱」では、セレベス・スマトラ・ジャワ・ボルネオなどが、「帝国領土と決定し重要資源の供給源として極力之が開発並に民心の把握に努む」（傍点引用者、前掲『杉山メモ』下巻、四一一頁）と位置づけられていたのである。多様な目的を掲げながら領有された支配地域は、同時に軍事的かつ経済的な利益を生み出す対象でもあった。その意味で、そのような利益を維持しつつ、さらに拡大するためにも支配地域の「経営」戦略が台湾・朝鮮の領有以降において構想されることになったのである。

ところで、帝国経営の内容は決して一様ではない。それは直轄植民地の台湾と朝鮮のように総督府を設置して、事実上の直接支配を軍政統治の形式によって行った所もあれば、「満州」のように表向きは満州族に政治運営を委ねる間接統治の形式を採りながらも、実質的には日本の「傀儡国家」として完全な支配を強行した地域、さらには表向きの「独立」を認めつつ、事実上の「保護国化」による支配を貫こうとしたビルマやフィリピンの例など多様である。

以上で簡約した歴史経緯のなかで、日本の統制・管理下において、一定の政治条件の変容によっては「独立」が許容される可能性が残されたものの、その政治条件が整わないと形式的な「独立」さえ許容されないのが現実であった。特に、対英米戦争のなかで、和平交渉の可能性が消滅して、対英米牽制の切り札的な意味をも軽減するに従い、日本政府は、「独立」許容への関心を急速に低下させていった。ましてや対英米交渉に置いて「独立」の意義を有しなかった台湾・朝鮮などへの「独立」許容の動きは、全く不在であった。

「大東亜戦争」が本当に「アジア解放戦争」であるならば、台湾・朝鮮を含め、これらアジア諸国の独立を後押し、支援するはずであった。ところが、実際には独立機運を政治的に利用することはあっても、独立機運が本格化する兆しが見えてくると、抑圧の姿勢を隠そうとはしなかった。それゆえ、アジア諸国の被植民地あるいは被軍政統治地域の独立後における対日感情は、決して芳しいものではないのが現実である。

戦争責任不在性の原因

繰り返すが、「アジア太平洋戦争」が侵略戦争であり、日本の植民地支配及び軍政統治を保守続行するための国家の選択であったことは間違いない。それでは戦後七七年目を迎えた今日にあって、依然として「アジア解放戦争」論が説かれ、侵略責任や植民地支配責任が、国民意識として何故定着していないのか、という問題を考えておきたい。

本来は精算されているはずの「アジア解放戦争」論が依然として様々な場で持ち出され、再生産される現実がある。歴代首相による靖国神社参拝と、これを支持する国民世論・国民意識の存在は依然として顕著である。そこで以下において、戦争責任意識の不在性という捉え方が可能な実態について探っておきたい。それなくして、「アジア解放戦争」論を克服することは困難と思われる。ここでは、戦争責任の不在性の主な原因を三点挙げておく。

第一に、アジア太平洋戦争の総括の誤りという点である。日本政府及び国民の多くが、アジア太平洋戦争における日本の敗北原因を英米との兵站能力や工業能力の格差に求め、アジア民衆の抵抗運動や反日ナショナリズムが実際上の敗北の原因であったことに無自覚であった。確かに、日本の敗北はアメリカによる二発の原爆投下によって決定されはした。しかし、長期戦争によって国力を疲弊させ、国内に厭戦機運を醸成させていた最大の要因は、対アジア戦争、取り分け日中戦争による戦争の泥沼化に依り国力の消耗を強いられた結果であった。

それで、具体的な数字で日本が中国を中心とする対アジア戦争により国力を消耗し、敗北が決定した事実を少し示しておこう。少し細かい数字だが、煩を厭わず記しておきたい。

例えば、一九四一年の段階で中国本土に投入された日本の陸軍兵力は、約一三八万人（総兵力の六五％）であり、日本本土在置兵力の兵力は、約五六万五〇〇〇人（同二七％）、南方地域に投入された兵力は、約一五万五〇〇〇人（同七％）を大きく上回っていた。それが日本敗戦の一九四五年では、中国本土に展開した日本陸軍は約一九八万人（当時の陸軍動員総兵力数の三一％）、南方地域には約一六四万五〇〇〇人（同二六％）の数字が残っている（大江志乃夫編『支那事変大東亜戦争間　動員概史　一五年戦争極秘資料集⑨』不二出版、一九八八年、参照）。

なお、旧厚生省援護局の調査によれば、敗戦時における日本軍兵力数（陸・海軍合計）は香港を含む中国で約一一二万四九〇〇人、満州地域で約六六万四五〇〇人（中国全土で約一七八万九四〇〇人）、朝鮮で約三三万五九〇〇人、台湾で約一九万五〇〇〇人であった。

年を経るごとに日本陸軍総兵力数が増大しているので、数が増えても比率が下がる結果となる。重要なことは、一九四四年段階で中国戦線と南方戦線とで投入兵力数の逆転が起きるが、一九四五年には中国戦線が南方戦線より三四万人も多かったことである。このことは、日本は長期戦となった中国戦線で戦力及び国力の消耗を強いられ、それを弱体化していったこと。最後的にはアメリカ軍の戦力及び原爆投下によって最終的な敗北を結果するが、その敗北の要因は中国戦線で形成・蓄積された歴史事実を踏まえる必要がある。

日本が如何に中国戦線で消耗していたかを示す数字を、もう一つ挙げておこう。

満州事変の年である一九三一年の陸・海軍省費と徴兵費は、合計で四億六一一九万八〇〇〇円（国家予算一四億七六八七万五〇〇〇円の三一・二％）、それが日中全面戦争の年である一九三七年には三二億七七九三万七〇〇〇円（国家予算の六九・二％）、日本敗戦の年の一九四一年には、一二五億三四二一万四〇〇〇円（国家予算の七五・七％）となっている。

さらに、軍事費の投入額をみると、一九四一から一九四五年までに中国戦線に投入された軍事費総額は、四一五億四一〇〇万円（同期間に占める軍事費総支出の五七％）、その一方で南方戦線での合計は、一八四億二六〇〇万円（同二五％）であった。軍事費支出の面からみても、対中国戦争に事実上の対米戦争であった南方戦線に投入された軍事費の二倍強を投入していたことになる。如何に中国戦線の比重が大きかったかが知れる（以上、大蔵省財政史室編『昭和財政史』（東洋経済新報社、一九五五年、参照）。

こうした客観的な数字が記録されていながら、日本政府及び日本人の多くがアメリカに敗戦したのであり、その原因はアメリカの圧倒的な物量にあったとする。そして、アメリカによる広島・長崎への二発の原子爆弾で日本は敗北を喫したという受け止めが極めて強かったからか。そこから二度と敗北しないためには、アメリカに倣って物理的能力の向上を図ることが重要だとなったのである。

それは一面で間違いないとしても、それだけが決定的な敗北原因でないことは、先ほど記した数字でも客観的に証明できよう。そのことに注意を向けなかった戦後日本人は、アメリカに追いつき、追い越すことを一大目標とし、その後高度経済成長の原動力となって発揮されはする。そうした志向性の向こうで、対アジア侵略戦争の忘却が同時的に開始されたのである。

今日まで連綿と続くアメリカとの過剰な同盟関係と、これを下支えする日本人の国民意識の背景には、敗北原因の理解を含め、「アジア太平洋戦」の総括の決定的とも言える誤りを指摘できる。そのことは、戦後から現在にまで続く対アジア諸国民との関係性を強く規定しているように思われる。日本の侵略戦争がアジア諸国民によって失敗に帰したことを正面から受け止めることなくして、本来あるべき戦争責任も植民地支配責任も自覚することは不可能なのである。

こうした日本政府及び日本人の、敢えて言うならば宿痾《しゅくあ》は、実は戦後の冷戦構造のなかで一層深刻化する。すなわち、中国革命（一九四九年）以降における冷戦構造のなかで、日本がアメリカの対アジア戦略の政治的かつ軍事的な要と位置づけられ、アメリカから庇護されることで、かつての日本の被侵略諸国から放たれようとした日本の侵略責任や戦争責任を問う声が封殺されていったのである。加えて、これらアジア諸国の多くには、冷戦構造を背景に軍事政権（インドネシア、韓国など）あるいは権威主義的国家（フィリピンなど）が自国民の戦後補償をも含めた戦争告発の機会を奪っていったのである。

このように冷戦構造を契機にアメリカの対アジア戦略の転換に起因するアジア諸国の内部的事情も重なって、日本は本来ならば戦争責任と向き会わざるを得ないはずの外圧を経験することなく、高度経済成長に専念することが可能となった。この冷戦構造のなかで、日本政府や政治家たちの多くが無頓着な歴史認識を表明し続け、いわゆる〝妄言〟を繰り返してきたのである。

また、あるべき歴史認識を深める機会を悉《ことごと》く逸してきた多くの日本人は、冷戦構造の終焉を契機にアジア諸国の民主化が進展するなかで、日本の戦争責任や侵略責任を問う声がようやく沸き上がってきた時、それに対し敵意の感情すら隠そうとしない歪な対応が目立つことになった。現役首相の靖国神社公式参拝という事態も手伝って、韓国、中国、フィリピン、台湾をはじめ、アジア諸国から日本の戦争責任や戦後責任を激しく糾弾する動きが活発となってきた。そのことは、日本政府及び日本人にとっても、アジア太平洋戦争をあらためて問い直す絶好の機会を提供するはずである。

第二に、台湾・朝鮮の植民地支配責任の不在性である。その不在性の原因は、最初に挙げた原因論と部分的には重複する。冷戦構造を背景に、台湾では蔣介石による国民党支配が長年続き、韓国では一九六一年五月一六日の朴正熙少将（一九六三年一〇月一五日、第五代韓国大統領に就任）による軍事クーデターから始まる三〇年近い軍事政権の下で、台湾や韓国の人々は開発独裁型の政治体制下にあって、日本の植民地責任を問う声を事実上封殺され続けた。

また、日本はインドネシアやフィリピンを含め、台湾や韓国など日本周辺諸国の開発独裁型の政治体制への経済支援をアメリカと共に手厚くし、これらの政権を強化することを通して、間接的に過去の責任追及の可能性を削いでいったのである。そのことは、同時的に日本政府及び日本人において過去を問い返す機会を放棄することを意味した。かつて日本が植民地保有国であったことの記憶は存在したとしても、それは精々のところ郷愁の対象であり、さらには「日韓基本条約」の締結前後に繰り返し表明された「植民地近代化論」の言説であった。

つまり、植民地支配戦争が決して誤った歴史の選択として意識化されていなかったのである。日本の植民地支配においては、取り分け朝鮮において、朝鮮文化や朝鮮人のアイデンティティの破壊や抹殺が強行された。台湾にしても、巧みな統治支配技術として、植民地支配開始直後から、日本の言語教育や美術教育などが持ち込まれ、台湾人の「日本人」化に向けた意識変容を迫る施策が半世紀もの間続行されたのである。

朝鮮や台湾では、「内鮮一体」や「一視同仁」などのスローガンが頻繁に使用され、被支配の意識から統一あるいは融合という意識や感情が用意されていくなかで被支配の現実や実体が隠蔽さていき、言わば植民地の「日本化」（＝大和化）の構造のなかで、台湾社会では植民地肯定論や植民地近代化論が植民地時代から、さらには今日まで再生産される現実がある。

すなわち、日本敗北時に派生するはずの被植民地諸国・被軍政支配諸国からの反発が冷戦体制のなかで黙殺されたことが、「アジア解放戦争」論を用意する重要な理由と考えられる。換言すれば、「アジア解放戦争」論を用意するために、歴史的には実証不可能な植民地近代化論が普及されているのである。

第三に、天皇および天皇制による戦争の開始と「終戦」であった、というアジア太平洋戦争の本質から由来する問題である。つまり、日中一五戦争と対英米戦争が接合した戦争としての「アジア太平戦争」は、軍部による謀略（満州事変）として開始され、その延長である日中全面戦争、国際的孤立を回避するために宣戦布告なき戦争として、「事変」（日華事変）と呼称された。

そして、対英米戦争も超憲法的機関である御前会議（一九四一年九月六日）において、事実上その開始が決定された。さらに、一九四五年八月一五日の日本降伏も、全く密室のなかで決定された。つまり、この戦争総体が国民の関知できない天皇周辺の閉塞された空間で決定されていたのである。戦前期不屈の弁護士として著名であった正木ひろしが、自ら編んだ雑誌『近きより』に、この戦争を「実は朕の身の安全のために宣戦し、朕の身の安全のために降伏したと見るべきである」（正木ひろし『近きより――戦争政策へのたたかいの記録――』（弘文堂、一九六四年、四〇二頁、昭和二一年一月再刊第1号）と喝破した。この戦争は文字通り、〝天皇による、天皇のための戦争〟であったのである。

そこから、この戦争は国民が徹底動員された戦争である一方で、同時に国民不在の戦争であったとも指摘可能である。つまり、戦争被害の歴史事実や被害者としての実感を強く抱く反面で、戦争加害者の意識も含めて戦争への関与意識は極めて希薄であった。戦後日本人の多くの心情の発露としての、天皇や軍部など指導者に「騙された」（＝所謂「騙された」論）に過ぎず、自らには戦争責任は存在しない、とする感情の根底にあるものは、天皇や軍部などへの戦争責任の転嫁意識である。しかし、そこからは日本人の戦争責任意識や歴史の克服は期待できようがないのである。

アジア太平洋戦争の特質ゆえに、加害者責任意識が生まれにくいという問題と同時に、さらに大きな問題は、この戦争が「アジア解放戦争」だと認識することで、潜在化している加害責任意識から解放されたい、という心情である。「アジア解放戦争」論の是非をめぐる問題の根底には、歴史事実の問題と同時に、冷戦構造の時代にあって長らく封印されてきた加害者として糾弾の対象となることへの不安感と危機感を抱く日本人の心情の問題が伏在している。むしろ、歴史事実として侵略責任や植民地支配責任は回避不可能と認知していたとしても、それを受け入れることには躊躇する心情である。

勿論、このような意識や感情は免罪の理由にはならず、是正される必要がある。被侵略諸国民や被植民地の人々にとって、このような意識や感情は通用しない。ここでは「アジア大洋戦争」が、たとえ〝天皇の戦争〟であったとしても、その戦争になぜ「騙されたのか」を厳しく問い直すことが不可欠である。それなくして、歴史問題の克服も〈歴史の取り戻し〉も不可能であり、アジア諸国民からの信用も回復できないであろう。

なお私は、拙著『侵略戦争』（筑摩書房・新書、一九九八年）において、歴史の忘却と記憶の問題に触れ、歴史の収奪に対抗して、現在我々に求められている課題が〈歴史の取り戻し〉にある点を強調した。

また、そのような姿勢のなかで、戦争指導者への責任を追及することが可能となろう。戦争責任を一部軍部急進派に負担させ、天皇を含めた政治指導者・エリート層の戦争責任を免罪し、本当の戦争責任の所在を曖昧にしてきたことも、戦後日本人が歴史と真摯に向き合ってこなかった証明である。この点が、今日実にアジア諸国民からの糾弾の対象となっているのである。

繰り返される「アジア解放戦争」論

ここでは別の視点から「アジア解放戦争」論が繰り返される背景に触れてみたい。それは、日本と同じ敗戦国となったドイツと比較することで、日本の固有の歴史環境を探ることである。敗戦国ドイツの戦後において、日本と同様に、ドイツの戦争犯罪を隠蔽するか、さらにドイツが行った一連の侵略戦争を肯定したりする言論や研究は皆無でないが、極めて少ないのが現実だ。その理由は以下の点にあるのではないか。

先ず、そのような言論や研究が厳しく法的に制限されていることである。ドイツの場合には、徹底した侵略責任の糾明やナチスの犯罪への謝罪を具体的な内実を伴って実行しなければ、ヨーロッパ諸国はドイツを許さないという政治環境に置かれたことがあった。

一例を挙げるならば、ヨーロッパでは、北大西洋条約機構（ＮＡＴＯ）と言う並列型の集団自衛条約が締結され、ドイツがこれに参入するためには、被侵略国家への謝罪や戦争再発防止の宣誓が不可欠であったことである。これに対して、アジアでは日米安保・米韓安保・米比安保など、アメリカとの間に、個別的かつ直列型の安保条約が締結された結果、取り分け日本は、ドイツと異なり戦後直ちにアジア諸国との関係改善を迫られないという政治環境にあった。

戦前においてドイツは〈ヨーロッパのドイツ化〉を、日本は〈アジアの日本化〉（より、具体的には「八紘一宇」のスローガンの下に大東亜共栄圏の構築）を戦争目的とした。だが、戦後においてドイツはいち早く〈ドイツのヨーロッパ化〉を主体的に選択した。これに対して、日本は本来ならば〈日本のアジア化〉を目標とすべきところが、〈日本のアメリカ化〉に奔走してしまったのである。

それが戦後アメリカのアジア戦略から起因しているとしても、かつての米軍再編問題に絡めて、防衛庁の防衛省への格上げ（二〇〇七年一月九日）、統合幕僚会議議長の認証官昇格要求（＝事実上の文民統制形骸化）、日本版海兵隊としての中央即応集団の創設（二〇〇七年三月二八日）、そして、五方面隊の編成は残しつつも、二〇一七年度から新たに陸上総隊を創設して陸自部隊の一元的運用を図ろうとしたことなど、自衛隊の新日本軍化をめぐる目白押しの政治日程があった。

それを踏まえるならば、日本はアジアとの間の歴史問題の克服には極めて消極的な姿勢で臨む反面で、アメリカとの積極的な一体化は、同時に歴史に向き合おうとしない姿勢と言わざるを得ない。この意味で、アメリカとの一体化が強化されるに比例して、日本政府及び日本人の植民地支配や侵略戦争の記憶が希薄化していくのである。

歴史の記憶と忘却

ここでは「アジア解放戦争」を依然として克服できない日本および日本人の歴史認識の深まりを阻むものが、一体何であるかを考えておきたい。その前提として、歴史の記憶と忘却という視点に立った場合、なぜ日本は被害の歴史事実が強く記憶され、加害の歴史事実が忘却されるのか、という問題がある。自国にとって、あるいは日本人にとって不都合な歴史事実、あるいは現在的な価値観念を否定するような歴史事実は敢えて忘却の対象としようとする。これらの点については既に述べた通りである。

より具体的に言えば、平和主義を基本原理とし、あらゆる戦争を否定する日本国憲法を骨抜きにし、さらには葬り去ろうとする人々や組織にとっては、アジア太平洋戦争を侵略戦争だと「認定」している日本国憲法の歴史認識が誤りである点を主張しなければならない。そのためには、私たちが記憶に留めるべき植民地支配の過酷さを無視し、南京大虐殺などは存在しなかったと主張しなければならないのである。

すなわち、現在的な意味での政治目的を達成するために、歴史事実が簡単に否定・歪曲・捏造されていくのである。歴史事実は、それが如何なる内容であれ消し去ることはできず、後付で恣意的に都合良く解釈することは許されない。同時に、日本の国民意識に内在する加害意識の解消を被害事実の反芻によって獲得しようとする傾向が顕著であることも指摘できよう。言うならば、「歴史」は歴史を越えてはならない、と言うことだ。

すなわち、歴史は人間によって創られたものであり、人間が忠実にその事実を継承することで、あるべき人間社会の構築に資するものである。歴史事実の修正は、あるべき人間社会の構築を試みる人々への挑戦であり、歴史の収奪に他ならない。そのような意味で、残念ながら戦後の日本においては、ここで言う歴史の収奪が続いているように思われる。それで〈歴史の取り戻し〉が果たされないうちに、戦後において歴史の否定と歪曲の作業が、保守勢力から実行に移されていった。例えば、《大東亜戦争》肯定論、植民地支配肯定論、南京大虐殺否定論、靖国神社賛美論などだ。それらを容認する世論が形成され、そのこと自体がアジア諸国民から反発と不信を招くことになっている。

3　植民地近代化論を超えるために

植民地主義をめぐって

それでは、なぜ、戦後日本と戦後日本人は、歴史を克服しようとしないのだろうか。アジア太平洋戦争の総括の誤り、戦後日本が置かれた国際政治秩序、すなわち、アメリカの軍事戦略に包摂《ほうせつ》されたが故に生まれた戦後保守構造の問題、日本の独特の政治文化など、既述した部分をも含め、そこには様々な理由を指摘できる。それでも、依然として何故という疑問は残る。この疑問に解答を出すのは容易ではないが、戦後日本の植民地認識や、深まらない侵略責任・植民地責任の把握への問題性を指摘しながら、精算されない植民地主義の問題に触れておきたい。

日本の植民地統治の歴史を植民地主義の概念を用いつつ、整理すると現在にも大凡《おおよそ》次のような主張が依然として健在である。すなわち、植民地支配によって、日本は植民地国及びアジア諸地域の近代に貢献したという、所謂、植民地近代化論である。それは、植民地住民の経済発展に寄与したばかりか、人権や民主主義の充実にも貢献したとするものである。総じて、日本の台湾や朝鮮への植民地統治は「文明開化」と「殖産産業」を結果したのだと言う。

さらに、台湾や朝鮮に対する統治理念である「一視同仁」による皇民化運動は台湾人や朝鮮人の資質を〝日本人レベル〟にまで引き上げることで、差別や格差の〝解消運動〟であったとする。このような論理なり総括が依然として表出し続ける背景は、一体何であろうか。取り敢えず、二つのポイントだけ俎上にあげておきたい。

一つ目のポイントは、帝国日本の生成と展開のプロセスに具現された特徴において指摘できる。すなわち、帝国日本は、明治維新による国民国家形成から、日清・日露戦争を得て帝国主義国家あるいは軍国主義国家となったこと。そして、この二つの戦争の前後に台湾と朝鮮を領有する植民地領有国家となったことから、国民国家として国民意識の形成過程で植民地領有国意識が殆ど無意識のうちに内在化されていったことである。つまり、台湾や朝鮮は、植民地でありながら、日本の正規領土として意識化されていったのである。それは、国民国家形成と植民地領有との間に一定のタイムラグがあったイギリス、フランスをはじめ欧米の植民地保有国との差違として指摘できる。

欧米の植民地が本国と遠隔地に所在し、歴史も文化も慣習も、相当の乖離が存在していた。そこでは国民統合の対象外に位置づけられているのと異なり、台湾と朝鮮という日本との近接地域を植民地としたことは、領有地域が国民統合の対象か否かの判断が不明確であったことである。しかし、台湾と朝鮮領有の主たる目的が当初においては経済的利益の奪取ではなく、軍事的な位置づけが強かったこともあって、一時検討されていた間接統治方式の採用や旧慣温存論が否定され、総督府による直接統治と皇民化政策が採用されることになる。

例えば、一九一二年に施行された「朝鮮民事令」の第一一条において朝鮮人の能力、親族及び相続に関する規定については例外的に日本の法律を適用せず、朝鮮の慣習に依るとした。これが「旧慣温存政策」だが、最終的には皇民化政策を進めるうえで利用されることにもなった。何回かの改正が行われ、結果的には日本民法主義へと変更されていった。この課題については植民地政策研究のなかで、李丙洙《リヘイシュ》「朝鮮民事令について――第一一条の「慣習」を中心に――」（『法制史研究』第二六号・一九七六年）などを嚆矢として、多数の研究蓄積が存在する。近年の論文には、吉川美華「旧慣温存の臨界――植民地朝鮮における旧慣温存政策と皇民化政策における総督府のジレンマ――」（東洋大学アジア文化研究所『研究年報』第四九号・二〇一四年）がある。

より客観的に言うならば、特に植民地台湾においては、正規領土と植民地との中間的な位置づけがなされたと言うことである。そのため「アジア太平洋戦争」の開始以後、台湾人も総動員の対象とされるや日本語教育の徹底が図れることになるが、それまでの言語政策において日本語教育と併行して現地語教育も実行されたことの意味は注目される。

二つ目のポイントは、日本人総体に内在する植民地主義と、さらには脱植民地化に成功した諸国民へのあらたな植民地主義（＝新植民地主義）への無自覚という問題である。近代日本の生成過程において、急速な国民国家化は欧米諸列強によるアジア植民地化への対応過程のなかで、封建遺制としての前近代性を克服し、近代化を実行に移すためにも、あるいは軍事的緩衝地帯を設定するためにも、植民地保有への衝動を伴うものであった。

つまり、国民国家日本は近代化と植民地保有が同時的に進行し、この二つの課題が相互に表裏一体の目標として設定された。国内の近代化と国外での植民地領有という国家政策が、同次元で認識されていくことになったのである。それゆえ、植民地領有とその統治及び運営を推し進める過程で、日本は近代化にとって必須の前提となる近代性と植民地性という二つの性質を同時的に孕み込んだ国家として発展していく。

この二つの性質は、近代化にとって必須の条件としての植民地領有という観念として固着していった。そして、ここでの問題は、すでに尹健次《ユンコンチャ》が指摘した如く、近代化に孕まれた暴力性と植民地性である。すなわち、尹健次は『ソウルで考えたこと――韓国の現代をめぐって――』（平凡社、二〇〇三年）の「補論　近代、植民地性、脱植民地主義に関するメモ」のなかで、「近代が事実において侵略・戦争の時代であり、植民地主義と表裏一体のものであった」とし、近代化と植民地性が密接不可分の関係にあることを強調している。

すなわち、近代化の進展に比例して対内的暴力が法制化され、正当化されるレベルが上昇し、対外植民地の拡大が絶えず志向される。近代化あるいは近代性が、暴力を基盤として成立し、暴力を担保として実体化されるものであるがゆえに、取り分け急速な近代化を達成しようとした帝国日本の暴力性は際だっていた。統制・動員・抑圧の国内システムが起動し、それが絶え間ない戦争発動や侵略戦争に結果していったのである。

「植民地近代化」論とは何か

近年、特に植民地主義論において頻繁に適用される「植民地近代」の概念設定も多様な議論がなされるなかで、日本の近代化とは、絶えず赤裸々な暴力性を内在化させた過程であった。つまり、同じ植民地主義を標榜した西洋近代とは一定の相違が存在することである。しかし、最大の問題は、そのような暴力性を内在化させた近代化のなかで、抑圧され統制されてきたはずの日本人の多くに、そのような「植民地近代」への批判精神が殆ど育まれなかったことである。その理由は天皇制ナショナリズム、あるいは天皇制支配国家体制のなかに求める他ないように思われる。

すなわち、日本人にとって天皇制国家が再生産する所謂家族国家観が、日本以外のアジアを差別と抑圧の対象とする結果を誘引した。それによって日本一国主義から日本絶対主義の感情を拡散していくなかで、日本固有の歴史意識が打ち固められていく。そこでは被植民地・被植民地者への思いは切断され、それに反比例して帝国意識が培養されていったのである。

その意味で天皇制は、他者を支配する痛苦を取り除く装置としても機能してきたと言える。そのため、当然のように植民地支配に固有の暴力性には無痛覚となる。さらに言えば、天皇制は、植民地近代化の暴力性を正当化する装置として機能していったのである。そして、そこに表れる日本人固有の歴史認識が生み出されるが、それは日本人にしか通用しない、排他的な歴史認識であり、尹健次は、それを「孤絶の歴史意識」と喝破した。

これに関連しても尹健次は、日本人が今後において、「天皇制と密着した孤絶の歴史意識をもちつづけるのか、あるいは諸民族・諸国民と共生・共存しうる開かれた歴史意識を我がものとしていくのか、日本人は真の意味において試されることになる」(尹健次『孤絶の歴史意識――日本国家と日本人――』岩波書店、一九九〇年、二一二頁)と記している。

このように天皇及び天皇制国家への帰属意識と所謂国体精神とが、植民地保有国民としての自負あるいは自覚に拍車をかけ、自らに課せられている暴力や抑圧を他者、すなわち被植民地者へ容易に転嫁させていったと言えよう。アジア諸国民への蔑視感情や差別意識の根底に存在する過剰なまでの暴力性は、抑圧移譲の原則に支えられたものであった。それがまた、帝国日本が繰り返した対外侵略戦争や植民地支配の過程で表出した数多くの虐殺事件の要因でもあったのである。

既述の植民地近代という名の日本にとっての課題は、戦後の今日あっても精算されていない。それは、植民地近代の持つ暴力性に無自覚であることが理由であり、また、その暴力性を隠蔽する機能を果たしてきた天皇制自体の呪縛から解放されていないことによる。そこから、依然として、かつての植民地支配を正当化する妄言や、「アジア解放戦争」論などが繰り返し説かれる結果となって問題化する。

さらには、植民地統治によって被植民地の近代化を促したとする、いわゆる植民地近代化論が飛び交うことになる。こうした問題は、総じて歴史認識の問題として議論されるが、そこに、植民地主義や植民地近代の概念を用いての精緻な検証作業が不可欠であることは言うまでもない。

「アジア解放戦争」論の精算を

かつて、台湾の著名な都市史・建築史の研究者である夏鑄九（Chu-joe,Hsia）が『現代思想』（二〇〇一年五月号）に発表して注目された「植民地近代性の構築」において、植民地支配から脱した後にも植民地者の価値や精神を模倣し、自己の社会の内に内的植民地化を進めていく状態を「植民地近代性」（colonial modernity）の概念を用いて鋭く指摘した。

一例に過ぎないが、多様な意味を含めながら濫用される「日本精神」（リップン・チェンシン）なる用語も、仮にそれが肯定感を持って口にされるとすれば、夏の言う「植民地近代性」が表出したものであろう。例えば、台湾の「日本精神」について論じ、話題作とされた著作に蔡焜燦（Kūncàn,Cài）『台湾人と日本精神――日本人よ胸をはりなさい――』（小学館・小学館文庫、二〇〇一年）がある。蔡の著作は、その典型的な作品の一つである。

「日本精神」自体は、戦後高度経済成長を結果した資本主義の労働過程における徹底した労務管理方式を支えた労働規律のスローガンである。それが戦後日本の近代化と経済大国化をもたらした、文字通り日本人の精神の有り様であって、台湾人も近代化と経済発展を志向するならば模倣しなければならない、とする主張として登場する。しかし、夏が指摘するように、これも「植民地近代性」の発露とするならば、それは〈主体を欠いた植民地近代性〉ということになる。

そこで問題は、暴力性や抑圧性から解放された自由・自治・自立を基底に据えた市民社会の構築に不可欠な主体が欠落した社会のなかに、自らを閉塞させる結果となることである。如何なる理由であれ、仮に台湾社会に日本の植民地支配への肯定感や、日本の台湾植民地支配が台湾近代化の原動力となった（＝植民地近代化論）とする言説が振り撒かれているとすれば、それは夏の言う「植民地近代性」の表れと言えよう。

台湾と同じく日本の植民地支配下に置かれた朝鮮では、例えば「日本精神」的な用語は存在しない。しかし、朴政権時代に常に日本の経済成長を手本に据えることで日本型近代化への無条件の受容が説かれた。その意味で韓国において日本の経済成長ぶりを意識した「克日」（극일）がスローガンとして頻繁に登場するが、これはその文脈で捉えるべきであろう。

また、これに関連して宮本正明は「植民地と『文化』」（『季刊現代史』第一〇号・二〇〇五年）において、朝鮮植民地期に導入された抑圧的な近代の諸要素が解放後にも引き継がれたとして「「植民地性」と「近代性」の双方から批判的に把握する「植民地近代」（植民地近代性でなく――報告者）の枠組みについては、その原型的発想を一九七〇年代に見出すことができるようにおもわれる」（同書、二〇八頁）とし、植民地支配肯定論の克服を阻む「内的根拠」「内的精神」の問題性を指摘している。

確かに、朴政権時代に常に日本の経済成長を手本に据えることで日本型近代化への無条件の受容が説かれた。その意味で韓国において、日本の経済成長ぶりを意識した「克日」がスローガンとして、昨年の二〇二一年一一月に死去した一九八〇年代の全斗煥《チョンドファン》（전두환）大統領の時代に頻繁に登場するが、これはその文脈で捉えるべきであろう。

そこでの韓国人の肯定感や植民地近代化論は、近代化に孕まれた暴力性や抑圧性への無自覚ないし無理解であることの自己証明と受け止められよう。また、植民地朝鮮では併合以来、総督府による「武断政治」という絶対的な強権によって統治が実行されていたが、一九一九年の「三・一運動」（삼일운동）を契機に、齋藤実朝鮮総督による「文化政治」という名の統治技術の近代化が図られた。そこでは各種の新聞の創刊・発行が相次いで許容されるなど、ある種の植民地近代性と指摘することができる。

つまり、「文化政治」とは、原敬内閣によって推進された内地延長主義による日本の近代的諸制度の植民地朝鮮への移入政策であり、朝鮮近代化の一環であった。つまり、当該期日本の疑似民主改革としての植民地改革あるいは植民地近代化であった。

内地延長主義は、実際には朝鮮においてより、台湾において一層具体化された。台湾の文民総督であった田健治郎が特に積極的に推進し、「内台融合」、「一視同仁」、「内台共学」、「内台共婚」等の方針を唱えた。

これに基づき、一九二〇地方制度の改革を実施し、州・市・街・庄の官選議会が創設されている。さらに一九二一年二月には台湾総督府評議会を設置した。そうした政策が台湾の一部特権階層を中心に受容され、それが戦後にまで日本統治への肯定感情として記憶化されることになった。これに関連して台湾における日本の台湾統治研究で注目された周婉窈（Wan-yao, Chou、台湾大学歴史系教授）の『臺灣歴史圖説（增訂本）』（臺灣・聯經出版公司、二〇〇九年）がある。なお、この本は濱島敦俊監訳、石川豪他訳で『図説台湾の歴史 増補版』（平凡社、二〇一三年）として日本でも翻訳出版されている。

余談だが、台北にある台湾大学に出講した折、文学部長室で周教授と面談し、帝国日本の台湾統治技術の狡猾さについて議論したことを記憶している。本書が台湾だけでなく日本でも高い評価を受けている理由の一つに、同書が台湾での研究水準を一気に引き上げたことと、朝鮮植民統治と台湾統治の差異が戦後の台湾においても日本への肯定感情の背景になったことを確認したことにあろう。

現実に多くの朝鮮語による新聞の発行がなされ、その過程で朝鮮の多くの知識人が日本の植民地支配を容認する。なかでも金玉鈞《キムオッキュン》（김옥균）や徐載弼《ソジュピル》（서재필）ら開化思想家たちは、日本統治を容認しつつ朝鮮の近代化を図ろうとした。彼らに示された植民地近代性は、戦後における韓国社会において、徹底的に排除されることになる。それは、換言すれば植民地近代性と決別し、自らの主体形成において、自立した近代化をめざそうとした証である。

但し、戦後韓国の政治過程においては、実際には、植民地近代性は充分に克服されたとは言えず、軍事クーデターにより政権を奪取した朴政権成立以降には、開発独裁型の上からの権威主義的支配が強行された。朴政権の政治手法は、かつての植民地時代における日本の統治技術を多く模倣したものと指摘されている。その意味では、朴政権から始まる三人の軍人大統領時代の韓国は、台湾と同様に内的植民地化の時代でもあった。

植民地国であった日本、被植民地国であった台湾や韓国（朝鮮）の相互の戦後的関係は、政治や経済の領域における支配と従属という関係ではなく、日本は両国に対し、かつての植民地支配意識＝植民地主義を依然として精算しておらず、また、韓国と台湾にしても内的植民地化への歯止めを充分にかけられないでいるのではないか。繰り返しになるが、実際に多くの日本人が台湾は「親日感情」が強い国だと言うとき、それは自らの植民地主義の告白であり、台湾人が植民地支配を肯定的に回顧し、「良き時代」と語るとき、それは自らの内的植民地化への無自覚さの表明でもあろう。

私たちが希求するものが、自由・自治・自立を基本原理とする市民社会であるとすれば、先ず持って既存の近代化論への盲目的な追従ではなく、その歴史的実体への批判精神である。私たちが植民地問題に拘り続けるのは、こうした悪しき近代化を越える論理を紡《つむ》ぎ出すことであり、その作業を通して、私たちの自身の精神や国家社会に内在する植民地主義を解体することなのである。その批判精神を逞しくしてこそ、我が内なる植民地主義の呪縛から解放され、文字通り脱植民地主義の論理を獲得できるのではないか。そのことを植民地国の視点から言えば、旧被植民地国は、イギリス、フランス、オランダなど西洋諸列強の後退や日本の敗退を好機とし、植民地国への従属関係や協力関係を絶つことで脱植民地化あるいは脱植民地主義に到達する。国際社会においても第一次世界大戦後に表れた民族自決の国際規範の成立を踏まえ、植民地独立運動が実現されるなかで一層具体化していたのである。

しかし、既に別の表現で示したように、脱植民地化の一方で、旧被植民地国家のなかには依然として植民地支配当時の社会文化システムが形を変えつつも顕在化しているケースが少なくない。例えば、植民地時代の分割統治の結果としての民族対立、エリートと民衆の経済的格差、旧宗主国への経済的従属などであり、これに加えて既述した如く、そうした植民地システムを容認する内的植民地化の課題は依然として深刻である。この内的植民地化あるいは植民地近代性が、植民地支配の肯定的評価あるいは、「アジア解放戦争」論の支持に結果していくのである。それはまた、戦争責任が依然として未決であることと、換言すれば歴史認識の不在性が、「アジア解放戦争」論の再生産の根本的な原因であることは間違いない。

歴史認識の共有化は可能か

ここまで筆者は、歴史学研究者としての立場や視点から日本、中国、韓国の間に存在する歴史認識の乖離の実態と、その乖離が発生する背景を、主に日本の視点から追究してみた。そのような追究の過程でも依然として残るのは、果たして歴史認識の乖離は埋められるのか、埋められるとすれば如何なる方法によってか。また、反対に埋められないとすれば、その原因は何処にあるのかを、さらに考察しなければならない。

歴史認識の共有化に不可欠なことは、自己愛的な「一国史観」を越えるための歴史和解の認識の深まりである。歴史和解とは、傷ついた人たちの心を癒し、特に世界を平和的に再結合することである。より具体的には、アジア諸国間、特に日本・中国・韓国との間の経済相互依存関係の緊密化、非核化をめざす地域共同体構想（「アジア共同の家」Asian Common House）実現のために、歴史和解が不可欠ということである。

戦後日本の歴史和解への取り組みが、全くなされなかった訳では勿論無いが、政策化される展望は依然として見出し得ていない。事実、冷戦時代においては、日本の高度経済成長と親米保守体制下で、被害回復問題は無視され続けた。表向きにはＯＤＡ（政府開発援助）が戦争賠償に代わるものとの説明が浸透し、戦争補償は進められている、という受け止め方が多くの国民意識に形成されていった。

しかし、既に多くの議論が存在するように、ＯＤＡはアジア諸国に進出した日本企業のためのインフラ整備資金として使用されるケースが圧倒的に多く、それが事実上の戦争賠償として受け取られているケースは極めて希であった。その資金はかつての戦争で傷ついたアジア諸国民を救済あるいは支援するのではなく、国家経済の発展に資するという大義名分を掲げながら、進出日本企業の活動のために使用されたに過ぎなかった。それは歴史和解の基礎的条件としての戦争賠償の進展という課題に、正面から応えるものではなかったのである。

そのような問題が、脱冷戦の時代において、冷戦の解消とアジア諸国における自由化民主化に触発されて、歴史和解の問題が浮上してくる。冷戦時代に権威主義的な支配体制のなかで、日本の戦争責任を問う声が封殺されてきたことへの反動として、自国政府をも突き動かし、日本の戦争責任や植民地統治責任を問い直す声が表出する。

しかし、現在まで表向きの「謝罪声明」が繰り返されはしているものの、アジア諸国民を納得させるだけの行動を行っているとは言い難い。そうした声に対し真摯に向き合う姿勢の欠落が、一段と責任を追及する声と行動とを呼び起こしている。それどころか、靖国問題に象徴されるように、むしろ歴史問題を軽視し、一層複雑化させる発言や行動が日本政府関係者や国民世論、さらにはメディア関係にも露見される現実にある。

冷戦終焉後、歴史認識を深める中で、過去の克服や歴史の問い直しの絶好の機会を失いつつあり、日本への不信や疑念の感情を増幅させる現実にあることは否定できない。それでは歴史和解の機会は遠のくばかりだ。歴史和解が困難となれば、当然ながら東北アジア諸国民との信頼醸成も困難となるのは必至である。歴史事実を率直に認め、再び不信や疑念の感情を起こさないために、過去の克服という課題設定を積極的に行い、あらゆる場で過去の清算に全力を挙げる姿勢と実績が信頼醸成への方途である。

信頼構築の方途を求めて

ところで、「信頼醸成」あるいは「信頼構築」への第一の方途が歴史和解の実現にあり、その前提として歴史事実の確認と歴史認識の深化にあることは、既述の通りである。だが、より今日的な課題に即して言うならば信頼醸成のための具体的で説得的な行動提起である。

その第一は、日本・中国・韓国のいずれの国家にも、「ナショナリズム」の用語で取りあえずカテゴライズが可能な国民意識が極めて過剰な内容を伴って表出している現実にどう向き合うのか、という課題がある。日本政府の政治指導者が靖国神社を参拝してみせる行為への中国や韓国の反発を直ちに内政干渉論で反応してしまうのではなく、反発理由の背後にある歴史事実を紐解きながら再検証する作業を国家や市民が同時的に実施していくことが求められている。

台湾・中国や韓国で台頭しているナショナリズムは、それぞれの国内的理由が存在したとしても、それは議論の第一の対象とするのではなく、日本に向けられた反発や批判の深層にある日本への歴史責任を告発する行為としてナショナリズムが表出している、との受け止め方をしていくことが肝要であろう。その意味では、ナショナリズムそのものの概念規定や政治主義的な判断は、ある意味で不用である。

重要な点は、日本の立場からは戦争責任や歴史責任への問いが、台湾・中国や韓国国民のナショナリズムの意識として表出していると捉えることである。すなわち、日本への不信と疑念の声としての反日ナショナリズムあるいは嫌日ナショナリズムとでも呼称されるナショナリズムの実態である。そのようなナショナリズムを緩和化する冷静な対応が、日本に求められているのである。

それでは、これらナショナリズムを克服する方途は何処にあるのか。それには何よりも過去の克服と歴史和解の前進が不可欠であるが、同時に日本の立場からも、敢えて一国史を越えた「東北アジア史」についての共通のビジョンの構築が課題となろう。

これら三国は共有している文化の確認をすることで、重層的かつ横断的な共通の文化を基盤としつつ、独自の文化が形成されていった歴史過程に注目することである。そこから共通の文化を基盤とする相似形の文化圏にあることによる同質のアイデンティティーを獲得していくことである。

この発想の根底には、既存の対外関係が政治や経済などの力を前提とする関係を建前とする限り、そこには格差あるいは差違だけが特化され、そこからは政治力学として支配・従属という関係か、あるいは侵略対防衛という対立しか生まれてこないのである。そうではなく、「文化の力」（文化力）への期待を相互に確認することである。そこに表れた独自の文化表現や文化財を尊重し、その相違や異質性への関心を抱くと同様に、相互の国家間に存在する相似性や同質性への関心を高めていくことで、文化を媒体とする国家間の信頼醸成から信頼構築への方途を真剣に論ずることも重要に思われる。

勿論、このような発想には危険性をも伴う。かつて日本は植民地統治を実行する場合に、統治対象国と日本との共通性を殊更《ことさら》に強調することで被支配者の反発を回避したり、懐柔したりすることで、「文化の融合」を解いた歴史がある。それは、例えば朝鮮文化を抹殺することによる「文化の融合」であったことは歴史が語る通りである。

その意味で過去の克服も歴史の精算も未解決である現状からして、日本が率先して文化を媒体とする新たな関係性への着目といった視点を強調しても、直ちに理解と合意を得られるものではない。そこから信頼醸成から信頼構築のためにも、歴史和解という重い課題こそ、非常に重要なテーマであることが再認識されるのである。共通の文化圏に存在することからくる親近感は、相互の人的交流の得難い礎であろう。

おわりに――過去の取り戻しとしての平和思想

最後に、今一度歴史の「忘却」と「記憶」の問題について触れ、第三講の纏めとしておきたい。

平和思想とは、過去を隠蔽しようとする国家と過去を忘却しようとする国民とを、同時的に〈告発〉することを通じて、歴史の〈取り戻し〉と歴史認識の共有を求めるための智恵と位置づけたい。そこでは、侵略の歴史事実を相対化し、侵略戦争を単なる「過去の出来事」に追いやることで、「現在としての過去」という歴史を捉える重要な視点を完全に抹消しようとする試みには、異議を唱え続けなくてはならないのである。「過去の出来事」という場合、それは侵略戦争という、あくまで日本国家にとって都合の悪い歴史事実のみが選定されて忘却の対象とされたことは、極めて悪質な歴史解釈といえる。

そうした意図された歴史の忘却の進行に、被侵略国家の人々は益々不信感を募らせるばかりである。既に触れたように、なぜ、「広島・長崎への原爆投下」や「シベリア抑留」などが強く記憶され、「バターン死の行進」、「南京虐殺事件」、「シンガポール虐殺事件」、「マニラ掠奪《りゃくだつ》事件」、「ベトナム一九四五年の飢饉」などが忘却されるのか、という問題である。併せて台湾や朝鮮への植民地支配など含め、忘却と記憶によって歴史事実が都合よく再形成されていく事態こそ極めて憂慮すべきである。南樺太や南洋群島の日本統治の問題も当然ながら俎上《そじょう》にあげるべきであろう。

記憶と忘却の恣意的な操作のなかでは、歴史事実の確認と未来に向けた歴史認識の深まりは期待できない。侵略の歴史事実と加害の歴史事実を「心に刻《きざ》む」（Erinnerung）ことによって、より社会的に加害の主体と被害の主体を明確にしていく作業を怠ってはならないのである。戦争責任問題が議論される場合、短絡的な加害論や被害論あるいは敵・味方論の議論に収斂させてしまうのではなく、まずどのようにしたら「現在としての過去」と、自分とを切り結ぶことが可能なのか、そしてどうすれば歴史の主体者としての自己を獲得できるのか、という課題が設定されるべきであろう。

この課題設定が深刻かつ真剣に議論されてこなかったがゆえに、歴史の暗部を隠蔽し、過去の〈書き換え〉を強引に要求する国家の歴史の統制に、有効な対応ができなかったのではないか。同時に戦後の平和主義や民主主義の内実を深く問うことなしに、利益誘導型・利益第一主義的な〝前向き課題〟や、安直で空虚な文言として政治家が頻繁に用いる〝未来志向〟の用語への無条件の礼賛のなかで、無意識的にせよ、過去の忘却に手を貸してきたのではないのか。

今日、日中一五年戦争と太平洋戦争がアジア太平洋戦争であった歴史の事実は充分に論証されもしてきた。戦後日本人の戦争観や歴史解釈にしても、大方が日本の侵略戦争の歴史事実を真剣に学び取ろうとしている。また、侵略戦争を告発し続けることで過去を徹底して批判し、そのことによって「過去を克服」し、同時に侵略戦争を引き起こした戦前期社会と多分に連続性を孕む戦後社会をも総体として批判することで、あるべき理想社会の構築を実現しようとする運動や思想が展開もされ、深められもしている。

それこそが「現在としての過去」を正面から正しく見据えることである。その点で「過去」を単に時間系列的な「出来事」として片づけてしまうのは、決して許されるものでない。それと同時に明らかに歴史事実の歪曲・曲解・隠蔽によって、ある政治的目的のために歴史を捏造する事は最も卑劣な行為である。いわゆる「米英同罪史観」、「自衛戦争史観」、「アジア解放戦争史観」、「殉国史観」、「英霊史観」などの〝歴史観〟が、これに該当しよう。

これらの歴史観に共通する事は、何れも他の人たちによって行われた犯罪によって、別の人々の背負う罪が相対的に軽減されるとする認識に立っていることである。これこそ明らかに歴史責任を放棄する考え方であり、歴史の事実を真正面から見据えようとしない無責任な姿勢である。これでは歴史のなかで生きる人々との間で、あるべき歴史認識の共有と理解により「平和的共存関係」を創造するという平和の思想は、到底生まれようがない。

そのような課題を念頭に据えながら、私は現代史研究者の一人として、とりわけアジア太平洋戦争とは一体どのような時代であり、どのような戦争であったのか、そこでは戦争に至るまで、これを受容していく侵略思想がどのような段階と思想的な変遷を経つつ、どのような思想家たちによって創出されていったのか、また、戦争に至る国内の政治動向、なかでも天皇周辺や軍部の動向はどのようなものであったか、を追い続けてきた。

それと同時に戦争という政治状況のなかに、これに関わらずにいられなかった人々、戦争による抑圧の体系のなかで人々がどのような運命を辿ることになったかを活写していくことが、今日における新たな「戦前」の始まり状況との関連からも不可欠に思われる。

歴史の〈取り戻し〉のための、もう一つの方法は平和思想を基底に据えた平和の創造である。戦争は国家によって選択され、発動される。そして、その戦争の記録と記憶は国家によって管理されてきた。これを打破するのは、個人によって創造され、推進される平和の思想である。平和思想は、あくまで個人が望む自由・自治・自立の思想を、その特色とする。

それ故、ここで言う平和思想とは戦争の記憶を蘇らせ、戦争による被害意識（トラウマ）を治癒し、戦争を脅威と暴力の頂点と位置づけ、戦争を否定する論理をも用意する。戦争と平和の対極的関係を同時に据え、人類史・世界史のなかに戦争を否定する積極的平和思想を創造していくためには、二一世紀を生きる私たちには、新たな平和思想の創造が不可欠である。依然として歴史の歪曲・捏造が繰り返され、そのことによって戦争や紛争への敷居が低くなってきているのが現状である。その意味でアジア平和共同体構築は、私たち自身の平和を創造実現していく力を試す試みとなろう。

【課題と提言：総括】

最終講　危機の時代をどう生きるのか

～リベラリズムの多様性と限界性～

はじめに

ここでは第一講から第三講までで述べた各論をもう一度ピンポイントで整理しておきたい。それらは全て相互に関連している問題としてある。同時に国家とか国民のこれからを論じていくうえでのささやかな展望を述べたつもりだ。以下、本書で述べてきた各講の内容に触れながら、ならば私たちはどうするのかを考えてみたい。

特定の党派に身を置かず、一介の研究者に過ぎない私には、提言するほどの資格も能力もないが、一人のリベラリストとしての自負から、いわゆるリベラリスト間で共有可能な問題意識を確認しておきたい。

リベラリズムの概念や思想が大いに揺れていることは、本書の冒頭で述べた通りである。別の言い方をすれば、リベラリズムの多様性が主張され始めたということではないか。簡単に誰もが、自らをリベラリストと規定する。多くの市民は自らをファシストや右翼主義者と自己規定することを忌避し、リベラリストとかパシフィスト（平和主義者）と言うのが常だ。そこには一定程度の多様性を担保しておき、幅広い人脈や交流が確保されると考えるからだ。

その姿勢は、理解できない訳ではない。だが、言語使用上の自由は担保されても、政治課題や政策判断をめぐっては、本来のリベラリズムやリベラルな政治や政策は何か、という点でクリアにしておくべきであろう。なぜならば、リベラリズムが争点を曖昧にし、容易に和合するための便法として使用されている場合が多いからだ。

さらに今に始まったことではないが、日本でも「中道」の用語が頻繁に使われる。「中道」とは本来仏教用語から来た漢字だが、それは保守でも革新でもなく、その両方の立場を合わせ持つ立場を示す意味で使われることが多い。

仏教用語としての「中道」とは、中立や内容的な中間とか、物理的な距離とか位置を示すのではない。ましてや、如何なる陣営にも与《くみ》しない、との意味でもない。それは、相対立するものから距離を取り、矛盾や対立を超えることを意味する。「道」とは、解決するための実践とか方法を指している。漢字本来の意味からすれば、「中道」と言う場合には左派も右派の区別を前提とせず、そこにある問題を解決するための実践的方法と纏められる。

政治の世界では中道でも左派と右派に分かれていて、革新に近い中道を中道左派、保守に近い中道を中道右派と呼んだりする。正確に言えば誤用だが、日本の政党で言えば、立憲民主党は中道左派と中道右派の連合体なのか。日本共産党と社会民主党は中道左派で、日本維新の会は中道右派なのか。ならば自民党や公明党は、このカテゴリーで言えば何処に位置づけるのか。

本来の意味を持ち出すと、このような定義づけは曖昧さを色濃くする。それで、このような時にはリベラリズムの原点に立ち返ることが必要となる。ジョン・ロックからリベラリズムの起源を求めるのが政治学では通例だが、簡単に言えば、リベラリズムとは伝統的な保守主義の規範を議会制民主主義と法の支配に置き換えることを目的としたものである。

それで同じリベラリズムと言ってもイギリスやフランス、さらにアメリカ等では、それぞれが異なる目的の下にリベラリズムが主張された。すなわち、イギリスは自由市場の拡大が、フランスは権威主義の否定が、アメリカは人間の尊厳と自立が、リベラリズムの目標とされた。

そこで最終講では、リベラリズムとは何かの原点に立ち返り、曖昧化する定義に拘り過ぎずに、リベラリズム的見地であれば採用するだろう、と思われる発言や政策について私なりに提案をも含めて論じてみた。

リベラリズムの原点とは

リベラリズムは諸国家の課題に即して言わば定義づけられ、普遍的統一的、そして絶対的な解釈というものは無いと言える。

リベラリズムやデモクラシー（民主主義）の対抗概念としてファシズムやトータリズム（全体主義）が定義づけられることは大方に異議はないだろう。

現時点でどの国もリベラリズム（自由主義）は言うまでもなく、デモクラシー（民主主義）を完全に成功させた国は、アメリカや日本を含め、皆無ではないか、と言うことだ。成功していないがゆえに、反論の対象となる独裁制やファシズム、それにミリタリズムなどが常に再登場を繰り返すのである。誤解を恐れずに言えば、第三講でも触れた世界の一つの潮流としての右翼主義やファシズム的政党の台頭の背景にあるのは、デモクラシーやリベラリズムが充分に制度として機能していないからだ。その間隙を縫うようにして、いわゆる右傾化が進行しているのではないか。

第三講でドイツでの二〇二一年九月二六日施行のドイツ連邦議会選挙の結果について触れた。注目度の高かったフラウケ・ペトリ女史（Frauke Petry）は既に党を離れ、一時の勢いは失せたかもしれないが、反移民の右翼政党である「ドイツのための選択肢」（ＡｆＤ）が、依然としてドイツ有権者の一〇％余りの支持率を確保している。これは第一党に躍進し、首相を出したドイツ社会民主党（ＳＰＤ）の約半分の支持率であり、現在、連邦議会で八一議席（定数七三六議席）を獲得している。決して小政党ではない。

例えば、日本の政党支持率で言えば、自民党が四一・一％で野党第一党の立憲民主党が五・四％、それ以外で言えば自民党と連立を組む公明党が二・八％、昨年の総選挙で大躍進した日本維新の会が五・八％、日本共産党が二・六％、社会民主党が〇・二％である（ＮＨＫ世論調査、二〇二二年一月一一日現在）である。他国との比較は簡単ではないとしても、日本の野党第一党の二倍の支持率を保っているのである。フランスやオランダなどヨーロッパ諸国の右翼政党も同様の支持基盤を確保している。

かつてフランスの政治学者アレクシス・トクビルは、アメリカを視察し、アメリカの徹底した平等主義に強い印象を受け、惹《ひ》かれたと記す（『アメリカの民主政治』（講談社・学術文庫、一九八七年、原題は *"De la démocratie en Amérique"*）。だが、その平等主義を希求するアメリカで黒人差別を筆頭とする不平等が依然として存在する。平等主義を基本原理の一つとするデモクラシーは、リベラリズムによって補完される。だとすれば、差別が深刻であるだけでなく、ある種の普遍的な文化ともなっているようなアメリカが、本当に民主主義の担い手として自負することが可能か、について議論の対象とせざるを得ない。

この点は日本の民主主義についてもそうだ。差別・貧困・抑圧などヨハン・ガルトゥングが言う構造的暴力が社会の隅々にまで潜在する日本でも、トクビルがアメリカ視察で惹かれたような平等主義が完全を期していないことになる。そうした状況が長続きすれば、ドイツやフランスの前例があるように、日本でも右翼政党が台頭し、既存の政党が右傾化していく可能性は大いにあり得る。その兆候は既に始まっているように思われる。

つまり、このことからアメリカも日本も民主主義自体が完全に習熟されていない、と言えるのではないか。他国に誇れるような内実を伴っていないのではないか、と言うことだ。長きにわたり、国際労働機関（ＩＬＯ）から日本政府に対し、労働現場の改善を提示され続け、既述の通り、労働者の置かれた非人権的状況に警鐘乱打されてきた。日本の現実も民主主義の内実を判断する材料となり得る。その意味からすれば、アメリカや日本と同様に、中国も民主主義の実現に向けて注力していると期待したい。

表向きの強面《こわもて》ぶりとは異なり、中国にしても不十分な民主主義であることに自覚的なはずだ。一寸の隙を見せまいとする中国の強面ぶりからすれば、自国の政治システムの不十分性あるいは完成途上であることなど簡単には口にできるものではない、のであろう。

アメリカや日本にも深刻な人権問題が存在するが、欧米諸国や日本が懸念する中国の人権問題の実態は全て明らかにされていない。また、その改善策もクリアにされているとは言い難い。その課題に「共同富裕」論や教育機会の均等などを中国共産党の主要な政策として掲げていること自体、中国が民主主義の成熟に注力していると解することも可能だ。

ここで強調しておきたいことは、中国に限らず、公開された議論の空間をボーダレスで継続することが重要である。どこの国家であれ、人権侵害はその国家だけの問題ではない。国際社会が共同して人権状況を監視し、改善を求め合うのは人権が国家を超えて人類の普遍的追求価値であるからだ。だとすると、批判や排除という非生産的な姿勢に終始するのではなく、交流を逞しくしていく過程で、相互の人権状況を詳《つまび》らかにしていく共同姿勢の確立が望まれるはずだ。

ひたすら相手を攻撃し、否定し、排除する方法に終始するのは、自らの立ち位置すら危うくするものだ。なぜならば、それでは信頼構築の機会を失うからである。そうした地平に自らを置こうとする姿勢が、日本では自公政権にも、また諸野党にもあまりにも不足している感じがしてならない。経済封鎖のような〝経済的暴力〟の行使も徒《いたずら》に国家関係や国民同士の交流を妨げるだけだ。ここはリベラリストとされる人々や組織・集団が、率先して論戦の場や空間を創ることに全力を挙げるべきであろう。そうしたことが信頼構築に結果し、交流の積み重ねの中で、平和構築の扉が開かれることになるはずだ日本国憲法の前文にある「日本国民は、恒久の平和を念願し、人間相互の関係を支配する崇高な理想を深く自覚するのであって、平和を愛する諸国民の公正と信義に信頼して、われらの安全と生存を保持しようと決意した」の件《くだり》にある「諸国民の公正と信義に信頼して」の文言は、信頼構築の機会を積極的に創り出していくことを、日本政府及び日本人の責務として謳ったものではないか。

私たちにとっての危機とは何か

リベラリズムやデモクラシーなど政治思想をめぐる軋轢の問題に触れたが、今一度別種の危機について触れてみよう。それは戦争構造の日常化・社会化に加えてコロナ禍や気候変動などにより、本来の「人間文明」が近代文明によって破壊される現実だ。コロナは決して自然発生したものではなく、天為《てんい》でなく人為《じんい》ではないか。

勿論、ここで言う危機の対象は数多ある。私は大学に勤務していたので切実に感じているが、現代の日本の学生は海外留学への志向性が極端に減じている。統計によれば、二〇一八年段階では約一一万五一〇〇人で年々減少傾向にある。これに比べて中国では同年度の統計で約一六〇万人が留学している。無条件に留学を勧める訳ではないが、青年たちの国際社会への関心や冒険心が非常に後退しているとすれば気がかりだ。

留学云々に拘わらず、青年たちの閉鎖性こそ問題だ。同時に子どもから大学生・青年までの貧困化の問題も頗る深刻である。学ぶ機会が十分に得られないことは、人間関係の拡がりや知識や情報の獲得の機会を逸することになる。同時に自由な空間や環境こそが、リベラリズムやデモクラシーの世界に触れ、習得する機会を得るものだ。

さらには少子化問題だ。毎年、出生数が報告されるが二〇二〇年段階で年間八四万人、そして二〇二一年の推計値は八〇万五〇〇〇人と言う。その一方で年間の死亡者数は約一三七万人なので、単純計算すれば毎年六〇万人近い人口が減少していることになる。一〇年間で約六〇〇万人、五〇年で三〇〇〇万人減となる。今の数字での計算なので出生者数の減少速度も、死亡者数の増大速度もさらに大きくなれば、人口減少度はさらに増すことになる。

つまりは、少子化社会と高齢社会が現代日本の最大の苦悩と言って良い。だが、それを政治力によって、どれだけ食い止められるかが問題だ。取り分け、少子化問題も政府も早急の対応策を施策として打ち出していることは知られている通りである。

ここでは人為としてのコロナと気象変動問題に少し触れておきたい。コロナ・ウイルスを拡散したのは、間違いなく人為であり、コロナ・ウイルスにとっては、文字通りグローバル化した世界は拡散するに打ってつけの環境が拡がっていたことになる。加えて最近ではオミクロン株と呼ばれる新種のコロナ・ウイルスが感染拡大を続けている。二〇二二年の新年早々から、日本でも第六波の襲来への警戒が強められている現状にある。コロナ感染者は、一月二三日現在、全国で五万人を突破し、東京だけでも一万近い感染者を出した。

今回のコロナ・パンデミックを語る時に頻繁に引き合いに出される一九一八年から二〇年にかけて世界中で流行し通報スペイン風邪は、世界で四〇〇〇万人以上、日本でも四〇万人が死亡したとされる（左頁写真参照）。さらに遡れば一四世紀中ごろにイタリアをはじめ、ヨーロッパを中心に拡がったペストは、スペイン風邪以上の犠牲者を生み出した。日本では黒死病と呼んだ。この世紀、ヨーロッパでは温暖気候に恵まれ、食料増産がもたらされ人口が増えた。同時にこの世紀は百年戦争をはじめ戦争が国境を越えて頻発し、一方では貿易が盛んとなった時代であった。コロナの感染拡大は、スペイン風邪の流行から凡そ一世紀を経て、当時以上に世界隅々にまで広がった人の流れこそが原因だ。

スペイン風邪が流行した大正時代にマスクをする女性たち
出典）The Journal of the American Medical Association, December 1918

戦争は人智で抑えることは可能であっても、コロナ・パンデミックの最大要因である人流は抑えることは難しい。ロックダウンのような特定の地域には一時的に人流を止めることは可能であったとしても。詰めて言えば、人流・貿易・戦争が、思想や信条など如何なる立場に身を置こうとも、人間と自然の危機に立ち向かうための理論・思想・運動・組織が求められているのである。

その前提として戦争なき社会の構築、その意味で反戦・平和の思想も運動の質も量も一段と強化する必要がある。戦争の危機に加え、気象変動やコロナ・パンデミックなど別種の危機に同時対応することには限りある。それゆえに、国家の所業としての戦争の危機を完全に排除し、膨大な経費を軍事費用に投入して軍拡利益構造に税金が浪費されるのではなく、気象変動やコロナ・パンデミックなど人間の生命への脅威となる病症への備えを厚くする政策への大胆な舵切が求められている。

そのような観点から、国家が保有する戦争の意図と能力を削ぐこと、そのためには脱国民国家論の展開と、戦争の可能性を現実の闘争なかで除去していくこと——そのことを新しい文明史的時代転換のなかで模索していくことだと思う。従って、当然ながら反戦平和のスタンスも変容を迫られている。

ここで言う変容とは、少し抽象度の高い話となるが、脱近代・反近代という視点が必要性だ。近代文明の在り様が人間存在を危うくしていること、近代文明の最大の特徴としての帝国による戦争の頻発と犠牲の大量化の歴史体験を経た私たちは、いま改めて戦争の危機を自覚し、それにどのような意識を持って立ち向かうのかが問われているのである。

グローバリゼーションの用語が頻繁に用いられるようになって久しい。政治から経済、そして軍事や文化に至るまで、あらゆえる分野と領域に、この用語が使われている。世界がまるで自然に合体して一つになっていくかの幻想さえ撒き散らすことになった。軍事に絡めて言えば、戦争の普遍化（＝戦争のグローバル化）という現象と実体を与えることになった。

戦争と言う政治手段が、どの地域にも起き易くなったということだ。グローバルな軍事技術や通信手段などの高度化によって、遠くからコントロールされた無人機による空爆が日常化する事態がやってきているのだ。超軍事大国は、犠牲を払わず、グローバルな軍事戦略の下に非対象的で一方的な戦争に安直に乗り出す。例えば、二〇二二年二月二四日、ロシア軍がウクライナ侵攻に踏み切ったように。

想像したくもないが、この高度な軍事技術は無人機による核兵器使用や、長大な遠距離をも障害としない巡航ミサイルなどによる高度兵器によって、先制確証破壊への誘惑を断ち切れないところまで来ている。一方では反戦平和、反核への熱い運動が展開されながら、他方ではまるで別世界の如く、戦争発動を躊躇しない軍事戦略が存在し、それが年々改編されていく。第一講でその一端を追った。

未来を見据える鏡として

第三講で東アジア平和共同体創りの前提として歴史問題の克服の必要性を訴えた。近代の世界や近代の日本は、戦争と植民地という持続的暴力によって、資本主義の覇権維持と利権拡大の歴史を刻んできた。そこでは数多の市民、労働者、青年、学生たちが犠牲を強いられてきた。それは自国民だけでなく、他国民も同様である。

如何なる理由があれ、戦争とは軍事を独占する国家の暴力であり、国家テロリズムと言って良い。現在は、そうした用語によって加害の側の責任を認めさせることによって、常に戦争の可能性を内在させる国家自体への警戒心が膨らんでいる。それが反戦平和運動の動機となる。

戦争を内在化した国家体質なり国家構造は、日本の場合には一九四五年の敗北によって清算されたかに思われた。だが実に巧妙な戦後日本の再出発のなかで、しかも日本国憲法を手にしながらも、結局は未清算・未決のまま現在に至っている。

このことは戦後数多の人々が異口同音に触れてきた。その一方で安倍晋三元首相は、かつて「戦後レジームからの脱却」の言葉で「戦後政治の総決算」を訴えた。安倍元首相にとって、戦後政治は〝押し付けられた憲法〟の下で、アメリカ的民主主義をも受容せざるを得なかった屈辱の戦後史であった、とでも総括しているのではないか。

押し付けられたのは日本国憲法ではなく、日米安保条約であったにも拘わらずだ。日米安保こそ、日本をして自立の道を阻み、日米同盟の名の下にアメリカへの従属国家として歩まされることになった元凶であ

社会党委員長を務めた石橋政嗣
出典）日本社会党中央本部機関紙局『月刊社会党』第127号（1967）より
石橋政嗣

ることに頗る無自覚である。

繰り返すが、「戦後レジームからの脱却」は、〃戦前レジームへの回帰〃を意図した言葉ではないか。自民党憲法草案の極めて復古的な内容、現行憲法が掲げる平和主義の否定、そして、人権条項を削減した内容からは、戦前型の政治システムの採用を意図しているとしか思えない。

総選挙から二〇二二年七月施行予定の参議院選挙を経て、その前後に改憲がホットの課題となる可能性は十分に存在する。タカ派の安倍政権ではなく、世間的にはハト派とみられている岸田政権下によって参議院選挙の結果如何によっては改憲の動きが、さらに加速するのは必至かも知れない。

この場合、問題としておきたいのはリベラルとされる陣営の護憲への姿勢である。私も改憲には大反対だが、ただ反対の運動を続けるだけではなく、なぜ反対するのか、護憲することによって、如何なる生産的な未来を展望するのか、についてのリアルな説明なり青写真なりを提示していかないと、護憲保守主義者のレッテル貼りをされかねない。

順番が逆となったが、第二講では現行の憲法の下で集団的自衛権行使容認が閣議決定され、新安保法制が強行採決されてしまったことを踏まえ、裁判闘争に訴えた経緯に触れた。護憲運動が大きなウネリをみせたことも確かであった。護憲運動の核として第九条があることは、衆目の一致するところ。ならば第九条の実践的課題としての平和主義の具体化、即ち自衛隊軍縮の実現、非武装論の深まりを期すべきではないかと思う。

かつて社会党委員長を務めた石橋政嗣（右の写真）の著作で凡そ三〇万部の販売数を記録した『非武装中立』（社会新報新書、一九八〇年。復刻版、明石書店、二〇〇六年）では、第九条の下で段階的に自衛隊の軍縮を持続し、最終的に日本を非武装国家にすることが、憲法によって我々に課せられた責務であり、日本の外交防衛の基軸とすべきだと論じた。

しかし、護憲運動は当時も現在も様々な組織や人々によって受け継がれているのに、そこで護憲運動が求めるべき非武装政策への踏み出しについては無視されているようだ。その理由は何か。

本書でも随所で触れた中国・北朝鮮脅威論が世論の耳目を集めており、とても日本の外交防衛の見地から非武装中立論などは非現実的であり、危険であるとする通念が跋扈《ばっこ》しているからかもしれない。石橋が非武装中立論を説いた一九八〇年代は、ソ連脅威論が盛んに喧伝されていた。その点では現在の状況と酷似している。従って、それだけの理由ではなさそうだ。

アメリカの同盟関係が強化され、日米両軍が一体となって作戦行動を採るなど、自衛隊の強大化が理由なのか。確かに、一九八〇年代の米ソ冷戦時代の自衛隊の規模と現在を比較すると、その変貌ぶりは著しい。護憲論を強化する一環として、これまでにも多くの提言がなされてきた。そのなかで注目もされた一つに、日米安保を平和基本法に切り替えるという提言である（前田哲男他『九条で政治を変える　平和基本法』高文研、二〇〇八年、参照）。

それは要約すれば、日米安保の軍事的な性格を薄めて、非軍事的な包括的友好条約に切り替えることを主張したものだ。ここでは実に様々な議論がなされたと記憶している。賛否両論が渦巻いたのは、ある意味当然であった。私なりに纏めれば、ここでは次の三点の克服が課題となっていたように思う。

第一に、果たして現行の日米関係を継続したまま、日米安保の軍事性を脱色することが現実に可能か。第二に、書名にも付された「九条で政治を変える」ことは可能か。第三は自衛隊の役割期待の変容は可能か、である。

第一の課題は戦後日本国家の構造や体質、あるいは戦後政治システムに直接に関わる問題だ。対米従属国家としての日本が、その対米従属性を払拭し、文字通り新たな構造や形態を伴った国家へと脱却することができない限り、日米安保の軍事性を脱色することは困難ではないか、という批判があったように思い出す。日米安保は、〝戦後の国体〟とまで指摘されるように、単なる米日間の条約ではなく、日本国家や日本国民の間に、いわゆる安保構造・安保文化と言われるようなものまで示す言葉とも言える。安保が国家と国民に血肉化してしまっているのである。本書の特に第一講でも触れてきたように、中国をはじめとするアジア近隣諸国への距離の採り方から理解に至るまで、常に日米安保を基軸とする日米関係からする視点に支配されているように思われる。

つまり、自立した外交や軍事への眼差し、客観的かつ冷静に近隣諸国を見つめる観点が非常に希薄になっているのも、根本に日米安保があるからである。そうしたものを一切合切ひっくるめて、いま一度、新たな戦後出発でも期さない限り、安保の相対化は不可能だとする議論が多かったのではないか。

いま求められているのは安保条約による歪《いびつ》な日米関係から、対等な日米関係の構築である。そのためには日本の自立化戦略の打ち出しが切に求められている。具体的には、先ずは非武装社会創造のための国内コンセンサスの取り付けである。そのためにも、中国や韓国など近隣諸国との歴史和解が前提条件となる。ところが、現在の政権は、これとは真逆の〝歴史戦〟に奔走しようとしている。その過ちを指摘していくためにも、第三講で述べたような歴史認識が不可欠に思われる。

第二については、特に憲法九条は、「平和主義」を示すものだが、そこで想定される国家像は、条文で示す通り、武装を持たない国家となることになるはずだ。周知の如く、第九条は「第一章　天皇」（第一条〜第八条）とのセットで構成されたものである。旧日本軍を物理的装置として担保された元首天皇制から、戦後象徴化された天皇制の下では、そうした物理的装置は不要となったはずだ。

しかし、日本再軍備は、アメリカの思惑の下、朝鮮戦争を契機とする冷戦の時代の本格化に伴い進められ、日本政府もそれを受容する過程で日米関係が強化されていく。その結果として、再軍備＝武装国家化の展開により第九条の形骸化が開始される。戦後においては、中国からソ連、ソ連から中国及び北朝鮮を脅威対象国とし、これに備えることを口実として装備強化が図られてきた。

そのような事態の変化を踏まえて、「第九条で政治を変える」と言う場合には、ここで含意されているものが非武装さらには非武装中立の国家構造と外交姿勢を取り戻すことを意味することになるはずである。国際社会では軍隊を保持しない国家は、既に四〇カ国余り存在するとされるが、日本のような経済大国で果たしてそれは可能なのか。

そうした課題を議論する前に、日本は第九条が存在するなかで現在では世界でも屈指の「軍事力」を備え、五兆四〇〇〇億円もの防衛費を計上する軍事費大国にもなったこと、既存の護憲運動は少なくとも日本の〝軍事大国化〟に歯止めはかけられなかったこと――これらの現実にどう向き合うのか。戦後、一九九一年一月の湾岸戦争時に日本は総額一三〇億ドル（約一兆五五〇〇億円）もの巨額の資金を多国籍軍（事実上、アメリカ）に提供した。自衛隊の部隊こそ戦場に投入しなかったものの、日本はこの時以来事実上の参戦国となった。

非武装平和への途

そうした動きに必ずしも十分に対応仕切れなかった護憲運動が、今後も予測される自衛隊強化と如何に向き合うのかが問われ続けている。あらためて自衛隊員の例えば、消防庁職員への配置換え、さらには自衛隊の専守防衛に特化した「国土警備隊」への転換など、あらためて検討されてしかるべきではないか。

第二の課題が問うているのは、国家構造の変容、あるいは安全保障政策や観念のパラダイム転換、さらには自衛隊削減・軍縮などの問題である。これに付随する自衛隊員の配置換えなど具体的な政策は様々に考えられよう。その場合、こうした政策提言を理想論として一蹴されないためにも、脅威論の信憑性を疑い、敵対論ではなく、万難を排しての対話の積み重ねを模索していくべきだ。

第三の自衛隊の役割期待の変容については、相当にホットな議論が必要となろう。第二の課題でも触れたように、自衛隊が戦場想定域で最前線に立ち、侵略者や侵略国から国家防衛・国民防衛を果たそうとする現在の日本の防衛政策の中身を吟味すると問題が極めて多い。

第一講でアメリカの対中軍事戦略に取り込まれ、南西諸島にミサイル基地を濃密に設営し、さらに敵基地攻撃ミサイルで先制攻撃の態勢を固めようとしている自衛隊の現状に触れた。それが本当に日本の安全保障に資するのかと問えば、逆に軍事紛争に加担する可能性を高める一方であることが分かる。つまり、危険性こそ増すが、安全を担保するものでは全くないことだ。それに何よりもアメリカの軍事戦略の変容によって、日本自衛隊の役割が如何様にでも変容を迫られているという点こそ、大きな問題である。

私は本書で、中国が先んじて日本に侵攻し、武力で恫喝するなどの可能性は全く有り得ないことを強調した。米中日間で軍事紛争があり得るとすれば、米中・日中間で不測の事態から軍事紛争が生起する可能性だ。その可能性を完全に排除できないがゆえに、中国はアメリカ軍及び自衛隊の強大な戦力に対抗するため、鎧を逞しくしているのである。そこで日本自衛隊が軍縮への道を歩き出すか、ドイツやイギリスのように駐留アメリカ軍の削減を図るならば、間違いなく米中・中日間の軍事的な緊張は緩和されていくだろう。

その場合、一つの選択として自衛隊の一方的軍縮方針の打ち出しがある。自衛隊軍縮の方法に関しては、「一方的非武装化構想」(unilateral disarmament)がある。これは二国間なり多国間で軍縮のための会議を開催し、議論を積み重ねたうえで同時的に軍縮を進めるという、従来の古典的な軍縮ではなく、相手からの譲歩を引き出す交渉を媒介としないで、文字通り一方的に軍縮、あるいは武装解除を断行するものである。

このような軍縮について、私は一九三〇年のロンドン海軍軍縮条約締結交渉を想起する。航空母艦や潜水艦など、当時では補助艦と一括して呼んでいたが、その建艦比率をアメリカ・イギリス・日本の間で五・五・三と最後は妥協した。アメリカは太平洋と大西洋を、イギリスは大西洋やインド洋など複数の広大な海域を考慮し、日本は太平洋のみの海域が防衛対象とする理由からの比率設定でもあった。

しかし、これでさえ日本国内では朝野を挙げての激しい反対運動が起きた。日本はこの比率で米英との差異を客観的かつ合理的な判断として締結に踏み切った。交渉の結果、アメリカ、イギリス、日本の海軍三国は、相対的軍縮に一応踏み切ることになったのである。

しかし、「一方的非武装化構想」は、そうした丁々発止の交渉を全く介在しないのである。これを理想主義的過ぎるとか、力の不均衡を生み出し、一方的な軍縮が一方的な侵略を招来する結果となり得るとの反論が出るはずだ。

しかし、アメリカ軍との共同のなかで、現在進行中の南西諸島方面を中心とする日本の対中国包囲網の結果として、実際に紛争が生起した場合、参戦国に多大な犠牲を強いる結果となることは明らかだ。同時に日本のミサイル防衛が純軍事的には到底攻撃を防ぎ切れるものでないことを考慮した場合、戦争や紛争を誘引する軍備強化は安全どころか危険であると冷静に判断すべきである。ならば、相互に非武装状態を作り出すこと肝要であろう。

先ずは戦争や紛争の物理的手段を放棄する姿勢を見せることによる戦争や紛争の防止のほうが現実的な政策となる。こうした政策を「非武装平和主義」と言う（武藤一羊『戦後レジームと憲法平和主義』れんが書房、二〇一六年、参照）。それが、護憲運動の目的として設定する意味であろう。護憲運動とは憲法を維持するだけでなく、非武装社会の創出を国家の仕組みや対米関係の見直しなどを踏まえて展開すべき運動ではないか。

また、各野党においても、日米同盟の堅持を標榜する立憲民主党と安保廃棄を主張する日本共産党との間には防衛政策において乖離がある。護憲の立場では一緒だが、立民には日米同盟の堅持により中国との対峙を前提としつつ、日本の防衛をそれによって守る、という考えがある。

日本共産党は、自衛隊が国民を守るために存在するのではなく、政権与党や大企業などを保守するためのものだとする防衛論を説く。その乖離は簡単に埋められそうにないが、野党であるならば、国家防衛以上に、国民の生命・財産を守るためには軍隊ではなく、非軍事組織や非軍事的手段の行使が最も安全を確保できる、とする点に注力し、非軍事的安全保障政策の提言が求められているように思われる。

あらためての提言に換えて

最終講を閉じるにあたり、いま一度本書を通して述べてきたことを踏まえて、やや箇条書き的に提言をしてみたい。

第一に、アジア隣人との連帯と共同行動の実現の一つの方法として、東アジア非武装地域化、その全体としてアジア非核地帯化の構想実現に向けての政策化と研究・運動の一体を進めるため、「一方的非武装化構想」を推進していくこと。そのためには、日米同盟の現実に対して、明確な意思を持って解体の主張をなすこと。同時に安保構造・安保体質・安保文化の呪縛を解き放ち、対米従属国家日本を根本から変えていくこと、である。

そうした目標を実践していく起点として、第三講で論じたように、中国や韓国を対象とする歴史和解の方途を、あらゆる知恵と努力で紡ぎ出して行く事である。歴史の壁を突き破ることなしに、相互不信の根底に居座る相互不信・相互不信頼の溶解は期待できない。そのためにも、まずかつての日本の侵略戦争の内実を正しく把握し、歴史認識を正していくことだ。

第二に、グローバル化された国際社会の非軍事化を提唱していくこと。アメリカの覇権主義に、先ずはアジア地域において終止符を打つと同時に、アメリカ覇権主義の物理的基盤のひとつとなっている核戦力を中心とするアメリカの在アジア地域における軍事力の削減案を提示していくこと。同様に核軍事大国であるロシアや中国にも軍事力の削減を求めていくこと。多くの論者が提起しているように、具体的にはＡＢＭ条約（弾道弾迎撃ミサイルの制限に関する米ソ条約、一九七二～二〇〇一年）の復活や新ＩＮＦ条約の締結を提唱していくこと。

第三に、第二の点と深く連動しているが、そもそも軍事力強化の理由として持ち出される抑止論が幻想に過ぎないことを明らかにし、幻想論の普及を徹底化していくことである。抑止力論は軍拡の理由とされ続けてきた過去の現実をも見据えること。それにより軍拡を誘引してきた抑止力論の危うさを理解すること。これは自衛隊問題で言えば、南西諸島に進行中のミサイル基地が到底防衛力にも抑止力にもならないことである。

エゴン・バール（1922-2015）
出典）Wikipedia, Egon Bahr（2005）. Erlaubnis des Urhebers mit Zitat der Erlaubnis（ggf. gekürztmitWeblink、falls Zitat zu lang）

これに関連して、「敵を持たない安全保障論」はあり得るか、の問いが設定されている。つまり、それは隣国に脅威を与えない軍事力という立論は成立するのか、と言うことだ。そのことを最初に説いたエゴン・バール（Egon Karlheinz Bah）は、「構造的攻撃不能性」を追求し、これを政策として採用することを論じた。エゴン・バールはドイツの社会民主党（ＳＰＤ）の政治家で、「東方外交」を展開し、ソ連（当時）、東ドイツ（当時）、ポーランドなどとの歴史和解を推進し、実績を挙げたウイリー・ブラント首相の側近として知られた人物である。

それまで西ドイツの「敵」と見なされ、軋轢・不信の対象であったソ連など、軍事的脅威でもあった諸国に対して、既存の安全保障論を超えた新たな安全保障論を提案した。すなわち、既存の安全保障論は、必ずそこに「敵」（ライバル）を設定し、その脅威から自国民を防衛することを軍事力強化の理由としてきた。そのためには相手と対等か、またはそれ以上の軍備を施すことが安全を保障する条件とされてきた。そうした既存の安全保障論から生み出されてきたのが軍事同盟であり、抑止力論であり、相手を排撃するナショナリズムであったりする。

そこでエゴン・バール（上記写真参照）は、相手にとって脅威とならない安全保障論を提案した。その実例として挙げられるのが、例えば東西ドイツの対立を解消するための「接近による変革」であった（アンドレアス・フォークトマイヤー『西ドイツ外交とエゴン・バール』三元社、二〇一四年、参照）。

考えてみれば、現在では名ばかりとなってしまった自衛隊の「専守防衛」論も、バールの言う「構造的攻撃不能性」を担保するもの、と言える。これを参考とすれば、米中・日中の軋轢・対立の解消の一つとして「接近による変革」あるいは「接近による和解」の前提条件としての軍事力不行使宣言を相互に交わすとか、将来的には相互非武装計画の共有などの展望が可能ではないか。非武装政策を、次の政治ステージを準備する契機として政策化できないか。

軍隊なき国家は、通常あり得ないとする議論が有力だ。確かに、国家は暴力の独占によって、国家としての体裁を整えようとする。ならば、国家を超えて、国際社会に非武装社会を設定する機運を醸成し、軍隊なき国家の創設を試みることである。ウクライナに侵攻したロシア軍と、これに抵抗するウクライナ軍との激しい戦闘場面、そして犠牲を強いられるウクライナ国民の様子を観るにつけ、このことを一層強く思わずにはいられない。

あとがき

政治学の古典的命題のようなこの本書のタイトルを『リベラリズムはどこへ行ったか』とした。今一度、その理由に触れさせて頂きたい。お目通し頂けば分かる通り、本書は決してリベラリズムの解釈をめぐる本ではない。あくまで現状の政治や軍事を私なりに読み解く作業の一環としてある。そのなかで、ふと思いついたのが、このタイトルだった。

私は本書で常にリベラリズムを念頭に据えてはいたが、それは繰り返し指摘したように政治哲学や政治思想の用語として使っている訳ではない。そこでは、自由かつ創造的な未来社会を構想するうえで必要不可欠な視座を与える考え方を指す用語として用いている。そして、この向こうに非武装社会への展望を語り尽くすことである。

遥か半世紀前、大学生だった私はデモや集会に参加した後も、仲間と一緒に安酒を片手に深夜まで熱い議論を交わしていた。そして、議論で疲れ果てるや、私は徐《おもむろ》にフォークギターを取り出して、決まって歌ったのが、一九七〇年代にフォーク歌手ピート・シガー（Peter Seeger）作詞・作曲による“Where have all the flowers gone?”（花はどこへ行った）だった。本書の書名は、このパクリである。

この場合の all the flowers とは、自由や平和など私たちが獲得すべき価値や思想であったと解釈している。それが見失われている現実を直視することから、私たちの智恵と勇気を紡ぎ出そうという趣旨だと勝手に解して声を張り上げていた。そして、最後には大好きだったジョン・バエズ（Jhon Baze）の〝We Shall Overcome〟を合唱して御開きとするのが、言わば習わしになっていた。

少々古臭い、懐古趣味になったが、これらフォークの流行った時代はアメリカでベトナム反戦運動が背景にあったことは言うまでもない。現在の政治・軍事状況を私なりに考えるうえで、もう一度半世紀前の世界に舞い戻って現代を過去から照射してみたい、との誘惑に駆られながら本書を書き進めた次第である。

その根底には、現在の日本もアメリカも、そして旧ソ連たるロシアも、あの当時とさして変わっていないのではないか、との思いがあったからである。

私自身も、一体学生時代から大学教員を引退した現在まで、一体何をしていたのだろうかと内心忸怩たる思いがする。それでも歯を食いしばって、多くの仲間と議論を重ね、研究や運動を通して支え合うなかで、数多の flowers を手にしたいと思わずにはいられない。間違っても、〝リベラリズムの終焉〟と題する本を誰もが書かなくて済む社会を創造したいものだ。清涼感溢れるバエズの歌のように、〝We Shall Overcome, someday〟を信じて。

＊　＊　＊

さて、本書出版の契機は、緑風出版の高須次郎さんからの現状を憂える一声だった。

先の総選挙を踏まえ、益々右傾化が進む日本社会のなかで、リベラリズムの所在が不明となってきたことを外交防衛問題から歴史問題の読み解きを通じて告発して欲しい、と言ったものと解している。その思いにどこまで応えられたかは高須さんと読者の皆さんにお任せするしかないが、とにかくいまこそホットな議論が必要であることは間違いないだろう。

緑風出版からは『イージス・アショアの争点』（前田哲男氏他との共著、二〇一九年）、『崩れゆく文民統制――

自衛隊の現段階』（同年）、『講演録集　重い扉の向こうに』（二〇二〇年）に続き四冊目となる。高須さんには、あらためて御礼を申したい。

二〇二二年三月

纐纈厚

[著者略歴]

纐纈　厚（こうけつ　あつし）

1951年岐阜県生まれ。一橋大学大学院社会学研究科博士課程単位取得退学。博士（政治学、明治大学）。現在、明治大学国際武器移転史研究所客員研究員。前明治大学特任教授、元山口大学理事・副学長。専門は、日本近現代政治軍事史・安全保障論。

著書に『日本降伏』（日本評論社）、『侵略戦争』（筑摩書房・新書）、『日本海軍の終戦工作』（中央公論社・新書）、『田中義一　総力戦国家の先導者』（芙蓉書房）、『日本政治思想史研究の諸相』（明治大学出版会）、『戦争と敗北』（新日本出版社）『崩れゆく文民統制』『重い扉の向こうに』（緑風出版）など多数。

リベラリズムはどこへ行《い》ったか
——米中対立から安保・歴史問題まで

2022年4月10日　初版第1刷発行　　定価2400円＋税

著　者　纐纈　厚©
発行者　高須次郎
発行所　緑風出版
〒113-0033　東京都文京区本郷2-17-5　ツイン壱岐坂
［電話］03-3812-9420　［FAX］03-3812-7262［郵便振替］00100-9-30776
［E-mail］info@ryokufu.com［URL］http://www.ryokufu.com/

装　幀　斎藤あかね　　イラスト　Nozu
制　作　R 企 画　　印　刷　中央精版印刷・巣鴨美術印刷
製　本　中央精版印刷　　用　紙　中央精版印刷・巣鴨美術印刷　E1200

ISBN978-4-8461-2204-1　C0031

◎緑風出版の本

■全国どの書店でもご購入いただけます。
■店頭にない場合は、なるべく書店を通じてご注文ください。
■表示価格には消費税が加算されます。

日本軍性奴隷制を裁く〔全六巻〕
二〇〇〇年女性国際戦犯法廷の記録
VAWW-NET Japan編

四六判上製
揃18700円

一五年戦争中の日本軍による「従軍慰安婦」制度によって戦時・性暴力の犠牲となった多くの女性。名誉を回復したい被害女性の願いに応え開かれた「二〇〇〇年女性国際戦犯法廷」の記録。山川菊栄賞特別賞、JCJ特別賞受賞。

重い扉の向こうに
歴史和解と戦前回帰の相剋
纐纈　厚著

四六判上製
三二四頁
2500円

社会も国家も、戦前・戦中の侵略戦争や植民地支配の責任を認めず、ご都合主義的な解釈による歴史修正主義がはびこり、戦前回帰への動きが強まっている。本書は日中戦争史と戦争責任、天皇制と戦争責任などの争点を分析。

崩れゆく文民統制
自衛隊の現段階
纐纈　厚著

四六判上製
二四八頁
2400円

本書は、自衛隊制服組による自衛隊背広組の文官統制破壊の歴史的経過を詳述、自衛隊制服組の右翼的思想を分析し、同時に、現行平和憲法を守るなかで、自衛隊の文民統制、をどのようにして実質化・現実化して行くかを提言する。

戦争の家〔上・下〕
ペンタゴン
ジェームズ・キャロル著／大沼安史訳

上巻 3400円
下巻 3500円

ペンタゴン＝「戦争の家」。このアメリカの戦争マシーンが、第二次世界大戦、原爆投下、核の支配、冷戦を通じて、いかにして合衆国の主権と権力を簒奪し、軍事的な好戦性を獲得し、世界の悲劇の「爆心」になっていったのか？